Lang leve de koningin

Esmé Lammers

Lang leve de koningin

Met illustraties van Annemarie van Haeringen

 LEOPOLD / AMSTERDAM

De volgende mensen wil ik bedanken voor hun inspiratie, adviezen en steun: Hans Böhm, Caroline Euwe, Laurens Geels, Maarten van der Gugten, Liesbeth ten Houten, Jacolien Kingmans, Riana Scheepers en Elsemijn Teulings.

Vijfde druk 2000

Copyright © Esmé Lammers 1997

Omslagtekening en illustraties Annemarie van Haeringen

Foto achterzijde: Victor Arnolds © 1995 Almerica Film bv

Tiba Tossijn in de film *Lang leve de koningin*. Het schaakbord werd gemaakt door Lucas van Doorn en de kostuums door Linda Bogers.

Omslagontwerp Marjo Starink

NUGI 221 / ISBN 90 258 3988 6

Voor kleine Geena

Opgedragen aan Max Euwe, mijn grootvader

Dit verhaal gaat over een meisje, Sara, en een koningin. Geen gewone koningin zoals onze koningin of de koningin van Engeland, maar een schaakkoningin. Misschien denk je nu dat die koningin erg saai en streng is, maar als je haar leert kennen weet je dat ze ontzettend lief is en wijs en dat ze ogen heeft die altijd lachen.

Het verhaal begint als Sara net acht jaar is geworden. Ze vindt leren dan nog helemaal niet leuk, vooral niet omdat ze altijd onvoldoendes haalt. En ze heeft nog nooit van de schaakkoningin gehoord. Ze weet dus ook niet dat de koningin haar beste vriendin wordt en dat ze samen zullen leren schaken en dat ze zelfs haar vader...

Nee, laat ik nou niet meteen alles verklappen, laat ik bij het begin beginnen. Het begon allemaal met een opstel dat Sara over haar vader had moeten schrijven.

1

Misschien zou de meester helemaal niet doorhebben dat het opstel niet over haar vader ging, dacht Sara. Ze hoopte in elk geval dat hij er niet naar zou vragen. Mariette, het meisje dat voor haar in de klas zat, zou zich meteen omdraaien en vragen gaan stellen.

'Waar woont je vader dan? Waarom woont hij niet bij jullie? Hoelang heb je hem niet gezien?'

Sara wist nooit wat ze moest antwoorden.

De kinderen dachten dat ze het niet doorhad, maar Sara hoorde duidelijk wat ze tegen elkaar smoesden.

'Sara heeft geen vader.'

'Sara's vader wil niet bij haar wonen.'

Omdat ze bijna niets van haar vader wist, had Sara een opstel over haar grootvader geschreven.

Sinds ze drie jaar oud was woonde ze samen met haar moeder bij hem in het grote huis. Haar oma was kort daarvoor overleden en grootvader was verdrietig. Hij zorgde niet goed voor zichzelf. Sara's moeder besloot toen dat het voor Sara ook leuker was om niet altijd alleen te zijn als zij aan het werk was, en ging bij hem wonen.

Sara had geprobeerd er een mooi opstel van te maken. Ze vertelde dat 'hij' vroeger zeekapitein was geweest en nu altijd thuis was (omdat hij met pensioen was, maar dat schreef ze er maar niet bij) en dat 'hij' het hele huis had volgezet met beelden, kisten en vaarapparatuur, zodat hij nog een beetje het gevoel had op een schip te wonen. Ook schreef ze dat 'hij' bijna de hele dag in zijn studeerkamer zat en aan een stamboom werkte. Ze legde zelfs uit dat een stamboom een grote lijst was met namen van familieleden. Iedereen stond erop. Sara, haar moeder en daarboven Sara's grootvader en grootmoeder en dan weer hun vader en moeder met hun broers en zusters.

Op een paar plekken stonden vraagtekens en dat betekende dan dat 'hij' niet wist hoe die personen heetten. Waar de naam van Sara's vader moest staan, stond ook een vraagteken. En ook dat had ze maar niet opgeschreven. Nergens in het opstel had ze gelogen. Ze had het de hele tijd over 'hij' gehad en niet over 'mijn vader'.

Boven de opstellen van de andere kinderen stond: 'Mijn vader', maar boven dat van Sara stond: 'Wie is hij?'.

'Je vader zal het ontzettend leuk vinden, Mariette,' zei de meester hartelijk en hij gaf Mariette haar opstel terug. Een grote negen prijkte in de rechter bovenhoek. Mariette snoof van trots.

De meester liep door naar Sara. Het eerste wat ze zag, was dat haar opstel vol met rode doorhalingen stond. Een knallende vijf, het cijfer dat de meester haar had gegeven, schreeuwde haar tegemoet. Sara pakte het opstel aan en wilde het meteen wegfrommelen, maar de meester bleef staan.

'Gaat het opstel soms over je opa, Sara?' vroeg hij.

Hij had het dus doorgehad.

Sara knikte.

'De opa die zegt dat je sommige dingen niet hoeft te weten omdat je ze kan opzoeken?'

Sara voelde dat er kinderen naar haar keken.

'Het is een mooi verhaal, Sara, maar jammer van al die fouten, vind je niet?' De meester keek haar ernstig aan.

Sara boog zich over haar opstel. De meester liep door.

'Laat eens zien.' Mariette had zich inderdaad alweer naar haar omgedraaid.

Sara schoof het opstel aarzelend naar haar toe.

'Wat een troep zeg! Dat zou ik nóóit aan mijn vader durven laten zien,' zei Mariette. Ze keek ineens met felle ogen op. 'Maar jij hebt toch geen vader!' Haar stem snerpte door de klas.

Sara griste het opstel meteen uit haar handen.

'Ik heb wél een vader!'

Mariette keek triomfantelijk. 'O ja, waar is-ie dan?'

'In Zuid-Afrika.'

'In Zuid-Afrika. Ha! Hoe kan dat nou. Daar zijn alle mensen zwart.'

Mariette draaide zich naar haar buurmeisje. 'Zie je wel. Ze liegt dat ze barst.'

Sara beet op haar lip, tranen sprongen in haar ogen.

9

Want Sara loog niet als ze zei dat haar vader in Zuid-Afrika woonde. Haar moeder had het zelf verteld. Het was een van de weinige keren geweest dat ze erover wilde praten. Sara had wel vaker naar haar vader gevraagd, maar meestal deed haar moeder kortaf en wilde ze niets zeggen. Behalve die ene keer. Sara had gezegd dat ze dacht dat haar vader dood was, en toen was haar moeder zo geschrokken dat ze vertelde dat hij niet dood was, maar in Zuid-Afrika woonde.

Sara wist niet eens waar Zuid-Afrika lag. Ze had het aan haar grootvader gevraagd en die had het aangewezen op de grote wereldbol in zijn studeerkamer. Eén ding was zeker: Zuid-Afrika lag heel ver weg.

Omdat Sara bang was dat haar moeder boos zou worden als ze nog meer vroeg, was ze de volgende dag zelf op onderzoek uit gegaan.

In haar moeders slaapkamer stond een grote reiskist en die had ze stiekem opengemaakt. Er lag van alles in. Een bloemetjesjurk, een oude tas en een koffertje met make-up, brieven en foto's. Het waren foto's van haar moeder als stewardess en met vriendinnen op een zonnig terras, en eentje waar Sara's moeder zelf nog heel jong was en aan de reling van opa's schip stond.

In een dunne ritselende envelop vol met vervaagde stempels had ze nog een foto ontdekt. Daarop stond haar moeder naast een man die Sara niet kende. Achter hen was een groot bord met zwarte en witte vlakken opgesteld. Op het bord waren figuren geplakt. Sara herkende een paard en een toren en soldaten, en ook een kroontje.

Daarna had ze de man goed bekeken. Zijn arm lag om de schouder van haar moeder en hij keek ernstig de camera in, alsof hij een moeilijke som aan het oplossen was. Haar moeder keek helemaal niet ernstig. Ze glimlachte juist vrolijk.

Sara hoopte dat de onbekende man op de foto haar vader was.

Sara keek naar de kleine klok boven de deur in het klaslokaal. Het was bijna twaalf uur. Eindelijk weg, weg uit de klas. Ze maakte de tekening van de vogels op het schoolplein snel af. Het was het enige wat ze die ochtend gedaan had. Wat ze zo meteen na schooltijd zou gaan doen wist ze nog niet. Haar moeder was aan het werk in de kapperswinkel en haar grootvader had het druk met zijn stamboom. Maar buiten was het leuker dan in de klas, buiten was er niemand die vroeg hoeveel twaalf keer drie was.

Ze stopte het schrift alvast in haar tas. De meester klapte stevig in zijn handen en alle kinderen schoten uit hun stoelen, ook Sara.

'Sara! Ik wil dat je even blijft.' Zijn stem klonk zwaar tussen de joelende kinderstemmen.

Sara hoopte dat ze het niet goed gehoord had en rende langs de tafels naar de deur, maar de hand van de meester hield haar tegen. 'Sara, ik moet met je praten!'

Het schoolplein was gevuld met kinderen, ze voetbalden of renden zomaar achter elkaar aan. Hun stemmen klonken in de verte.

De meester ging tegenover haar in de lege klas zitten.

'Je haalt alleen maar onvoldoendes, Sara.'

Sara wist allang dat ze slechte cijfers haalde. Behalve voor tekenen. Daar had ze een acht voor! De meester glimlachte vaag en zei dat ze daar niet veel aan had. Als ze zo doorging en niet beter haar best deed, bleef ze zitten. 'En ik denk niet dat je moeder dat leuk vindt.'

Nee! Haar moeder zou het niet leuk vinden!

De meester schoof een brief naar haar toe.

'Hier is een brief voor je moeder. Ik heb haar geschreven dat je een paar taken moet maken, anders kan ik je niet laten overgaan.'

Sara stopte de brief weg in haar tas en stond op. Hoe moest ze nou betere cijfers halen?

De meester keek nu streng.

'Je denkt: laat die meester maar kletsen, ik doe toch waar ik zelf zin in heb. Maar zo kan het niet langer, Sara! Dat begrijp je toch ook wel.'

Maar Sara begreep het níét. Iedereen deed alsof ze expres niet wilde leren! Toevallig wilde ze echt wel goede cijfers halen...

Ze stond op en rende de klas uit.

De meester deed nog een zwakke poging om haar tegen te houden, maar ze was te snel.

Al vanaf het begin van het schooljaar had hij het moeilijk gevonden om met haar te praten. Hij had bijvoorbeeld wel eens naar haar vader gevraagd, maar kreeg toen een vreemd raadselachtig antwoord, waaruit bleek dat haar vader niet bij hen woonde. Op zich was daar niets vreemds aan, dat kwam vaker voor bij gescheiden ouders. En toch... die vaders zag hij wel eens op een ouderavond of bij een feestje en zelfs de vaders die in het buitenland woonden, kwamen vroeg of laat kennismaken. Maar Sara's vader had hij nog nooit gezien. Vreemd!

Toen Sara over het schoolplein liep, waren de meeste kinderen al naar huis. Alleen een paar jongens stonden te voetballen.

De vogels, die tijdens schooltijd de zaadjes tussen de tegels wegpikten, zaten hoog in de bomen.

Het dorp waar Sara woonde was klein. Je kon er bijna niet verdwalen. Na vijf minuten lopen kwam je altijd wel op een plek waar je eerder geweest was.

In het centrum was een groot plein met een kerk en winkels. Sara's moeder had daar drie jaar geleden een kapperswinkel gekocht. Het was er bijna altijd druk en daarom moest haar moeder hard werken. Ze kwam 's avonds laat thuis en meestal was ze 's ochtends als eerste het huis uit. Sara zag haar moeder voornamelijk bij het eten.

Ze bedacht een spelletje. Als ze op de rand van een tegel stapte, moest ze naar huis, maar als ze erbinnen bleef, mocht ze naar haar moeder in de kapperswinkel. Als er meer dan vijftig tegels waren in de straat waar ze liep, zouden er weinig klanten in de kapperswinkel zijn en zou haar moeder tijd voor haar hebben. Ze zou zelfs een kopje thee krijgen, met een koekje. Sara wist dat ze heerlijke koekjes hadden in de kapperswinkel. Spritsen, die in je mond uiteenvielen zodat het leek alsof je wel honderd koekjes tegelijk at. Thuis waren er ook koekjes maar die waren droog en hard, omdat grootvader anders de hele koektrommel achter elkaar leegat.

Alleen als ze echt nergens buiten de tegels stapte, mocht ze naar haar moeder.

De stoep ging de bocht om. Gelukkig: ze had vijfentachtig tegels geteld. Haar moeder zou tijd hebben.

Sara had lang donkerblond haar en in de eerste lentezon leek het wel van goud. Het danste op haar rug terwijl ze van tegel naar tegel sprong. Ze moest nu goed opletten want ze was in een drukke straat gekomen. Als ze niet oppaste, duwde iemand haar omver.

Ze ontweek behendig de winkelende mensen en bereikte het einde van de straat zonder ook maar één keer op de rand van een tegel gestaan te hebben. Nu was ze al bijna bij de kapperswinkel. Alleen deze straat uit, aan het einde ervan oversteken en dan de hoek om.

Sara nam grotere stappen, ze proefde het koekje al...

En toen! Toen kon ze niet verder.

Voor haar op de stoep stonden grote verhuisdozen.

Sara keek of ze de straat kon oversteken, maar aan de overkant was geen stoep. Dan maar langs de dozen. Niet zo makkelijk!

De verhuisdozen stonden voor een winkel. De winkel was

nog leeg en er hing een plakkaat voor het raam met VER-KOCHT. Langs de stoep stond een auto geparkeerd met een ruime laadbak waaruit aan alle kanten dozen, meubelen en speelgoed staken. Er klonk gerommel achter de auto.

Sara keek naar een houten hobbelpaard dat scheef uit het autoraam hing. Ze boog zich naar het beest toe. Opeens kwam er een jongen achter de auto vandaan. Sara schrok ervan.

Het was een blonde jongen, ongeveer net zo oud als zij. Hij had een geruite pet op en een bril, en liep wankelend met een veel te zware doos naar de winkel. Hij begon zijn evenwicht te verliezen, slingerde heftig.

'Pa-hap... páp!'

Sara keek de winkel in. Het bleef daar stil.

De jongen maakte een enorme zwiep. Sara wilde naar hem toe rennen, maar ze moest binnen de randen...

De doos begon te glijden, duwde tegen de bril van de jongen; de bril gleed van zijn neus, tuimelde door de lucht en kaatste op een stoeptegel.

Sara vergat wat ze zich had voorgenomen. Ze rende naar hem toe, haar voeten stapten meerdere keren op de randen van de tegels.

Maar ze was te laat. De doos viel met een doffe klap op de grond. En met de klap verdween de overheerlijke smaak van de uiteengevallen sprits in haar mond.

De vader van de jongen had de klap gehoord en kwam naar buiten hollen. Hij zag de twee kinderen beduusd op de stoep zitten, omringd door het weggeslingerde speelgoed uit de doos, en hurkte zorgzaam bij zijn zoon.

'Victor, gaat het? Ben je duizelig?'

Victor schudde zijn hoofd.

Sara gaf hem zijn bril terug en hij bekeek haar nauwkeurig zonder te merken dat ze daar verlegen van werd.

Ze keek naar beneden. Voor haar op de stoep lagen prachtige poppetjes. Ze had nog nooit zulke mooie gezien. Ze raapte er voorzichtig een op en bekeek het van dichtbij. Het was een

13

vrouw met sierlijk gekruld haar waarop een kroontje stond. En ze droeg een lange witte jurk met gouden banen. Een koningin! dacht Sara.

Victor zette de poppetjes bij elkaar en begon ze te tellen. Sara zag nu dat er ook een paard bij stond en een toren en soldaten. Allemaal even mooi. Ze keek nog een keer naar de koningin. Nog nooit had ze zo'n mooi en lief gezicht gezien. Of toch – ja, haar moeder zag er op de foto met de onbekende man zo uit.

En toen gebeurde er iets vreemds, iets heel vreemds. De koningin kwam tot leven en glimlachte naar haar.

Sara geloofde haar ogen niet. Daarom knipperde ze, maar ze zag het nog steeds. De koningin rekte zich uit en knipoogde naar haar.

Sara's wangen werden er warm van.

De vader van Victor liep langs. Sara schrok. Ze was totaal vergeten dat ze buiten op een stoep zat.

'Ga je hier zitten schaken?' vroeg hij aan zijn zoon.

'Nee, ik moet toch kijken of ze er allemaal zijn.' Victor zette de poppetjes op een vierkant houten bord met zwarte en witte vlakken.

Sara keek ernaar. Schaken?

'We missen de witte koning!' zei Victor. Het was het eerste wat hij tegen haar zei. Maar hij zei het alsof ze al de hele middag samen zaten te spelen.

Sara stond op, keek zoekend rond en ontdekte iets wits onder de auto. Het was de witte koning.

De koning was een grote stevige man met een klein baardje en een lange mantel met rode stroken en zwarte stippen, en ook hij droeg een kroon op zijn hoofd. Ze vond dat de koning veel minder vrolijk keek dan zijn vrouw.

Alsof Victor wist wat ze dacht zei hij: 'De witte koning kijkt zo boos omdat hij zich verveelt.'

Sara glimlachte. Ze zette de koning bij de anderen.

'Zullen we zo een spelletje?' vroeg Victor aan de koning, alsof het de normaalste zaak van de wereld was dat je zoiets aan een poppetje vroeg. Opeens keek hij op, naar Sara.

'Kun jij schaken?'

Ik? schaken? Nee, ik kan niet schaken, ik kan niets, flitste het door haar hoofd. Ze schudde snel van nee.

Victor keek teleurgesteld. 'Jammer. Het is een hartstikke leuk spel, hoor.'

Sara stond op. Ze wilde naar huis. Victor wist niet dat ze alleen maar onvoldoendes haalde op school.

15

Bij de hoek van de straat keek ze nog een keer om. Ze zag dat Victor de schaakstukken in een fluwelen zak stopte. Zijn vader stond bij de winkeldeur en keek in haar richting. Sara draaide zich snel om en rende weg, de hoek om en de dijk op.

Ze rende net zolang tot ze thuis was.

2

Het grote, zachtgeel geschilderde houten huis waar Sara met haar moeder en grootvader woonde was vroeger het enige huis aan de dijk geweest. Nu stonden er aan weerszijden kleine boerderijen. Achter het huis, op een kleine speelplaats, hing een schommel, maar die piepte zo verschrikkelijk dat Sara er bijna nooit op zat.

Haar grootvader werkte elke ochtend in de uitgestrekte tuin, behalve als het ijskoud was of hard regende. Dan deed de natuur zijn werk, zei hij. De tuin stond vol rozen, daar hield hij van. Felrode en romig-witte rozen. Er was ook een appelboom waar behoorlijk zure appels vanaf vielen. Sara's moeder had er een keer appeltaart van gebakken, maar die was zo vies dat zelfs grootvader, die alles opat omdat hij wist wat echte honger was, na een paar happen geen zin meer had.

Het huis was stil, alleen het tikken van de grote klok was hoorbaar. De brede houten trap die naar boven leidde kraakte als je erop liep, maar dat was niets vergeleken bij het gekraak van de overloop.

Sara bleef halverwege de trap staan en keek naar de levensgrote donkere Afrikaanse beelden die haar grootvader boven aan de trap had opgesteld. Sara verstopte zich vaak voor de starende ogen van die beelden, maar vandaag had ze er geen zin in. Ze dacht aan de schaakkoningin.

Schaken... Als het een spel was, was het misschien niet zo moeilijk, zou zij het zelfs kunnen leren. Ganzenborden en Mens-erger-je-nieten kon ze tenslotte ook.

Sara sloop op haar tenen naar de rommelkamer, zodat haar grootvader, die beneden in zijn studeerkamer aan de stamboom werkte, haar niet hoorde. Niet dat hij op haar lette, maar ze deed het wel vaker, als spelletje.

Ze doorzocht de rommelkamer. De kast, de dozen, de oude koffers en trommels. Er lagen een heleboel spelletjes, sommige kapot of niet compleet, maar een schaakspel zat er niet bij.

Ze hoorde haar grootvader in de keuken en ging naar hem toe.

'Opa, hebben wij een schaakspel?' vroeg ze.

Haar grootvader keek verbaasd op. 'Een schaakspel?'

Sara knikte.

Grootvader ging aan tafel zitten en opende verwachtingsvol de koektrommel. De trommel was bijgevuld, tot aan de rand, met... droge, harde biscuitjes. Teleurgesteld trok hij er een tussenuit. Hij dacht na over het schaakspel en bekeek Sara met gefronste wenkbrauwen. Dat deed hij altijd als hij vond dat ze iets moeilijks vroeg.

'Ik weet het eigenlijk niet, Sara. Je moeder vindt het geen leuk spel meer. Vroeger kon ze bijzonder goed schaken, maar ineens was het over. Wilde ze geen schaakspel meer zien.'

Haar moeder die een spelletje deed? Sara had haar moeder nog nooit een spelletje zien doen.

Grootvader schonk thee in. Sara nam ook een koekje. Ze hoopte dat hij nog meer zou vertellen.

'Staat er op de rommelkamer geen schaakspel?' vroeg hij tenslotte.

Sara schudde haar hoofd. Ze had er net nog gekeken.

De frons in grootvaders voorhoofd werd dieper, maar hij zei niets.

'Waarom wil mama niet meer schaken, opa?'

Opeens glimlachte hij.

'Tja, vrouwen hè? Soms zijn het wonderlijke wezens.'

Sara vond het geen goed antwoord. Ze wilde weten waarom haar moeder niet meer schaakte.

'Ik ben ook een vrouw hoor, opa,' zei ze een beetje boos, maar haar grootvader had het niet door. Hij kneep in haar neus. 'Dat weet ik en als ik later groot ben, trouw ik met je.'

Hij stond op, graaide een koekje uit de trommel en liep met zijn kop thee de keuken uit.

Sara's grootvader trok zich terug in zijn studeerkamer. Hij was dol op zijn kleindochter. Hij vond haar slim, verschrikkelijk slim want er ontging haar niets en ze had veel fantasie. Maar ze stelde ook lastige vragen en was niet snel tevreden met het antwoord. Hij voelde dat ze meer wilde weten over haar vader, maar ook hij wist niets. De keren dat hij Susan, Sara's moeder, voorzichtig iets had gevraagd, had ze gezegd dat hij zich er niet mee mocht bemoeien.

Hij was veel te blij dat ze bij hem woonde en wilde haar niet ergeren. Dus hield hij zijn mond. Maar de vraag waarom niemand mocht weten wie Sara's vader was hield hem bezig, veel meer dan hij kon laten merken.

Sara begon de koningin te tekenen. Het moest de mooiste tekening worden die ze ooit gemaakt had. Ze wilde hem aan haar moeder geven.

Ze was net het kroontje aan het tekenen toen ze zich opeens herinnerde dat ze zo'n kroontje eerder gezien had, ook op een bord met zwarte en witte vlakken...

Ze rende de trap op. Ging de kamer van haar moeder in, pakte de sleutel uit een vaas boven op de kast, maakte de reiskist open en haalde de ritselende envelop met de foto eruit.

Het bord op de foto zag er anders uit dan het bord van Victor, maar dat kwam doordat het veel groter was en als een schoolbord achter haar moeder en de man stond opgesteld. Sara herkende het paard en de toren en het kroontje van de koningin. Ze wist het zeker. Haar moeder en de onbekende man stonden voor een schaakbord.

Die avond kwam Sara's moeder moe thuis. Sara liet haar de tekening van de schaakkoningin zien. Ze keek er vluchtig naar en zei dat Sara de tekening maar aan opa moest geven. Hij zou hem vast prachtig vinden.

Sara hoopte dat wat haar grootvader had verteld niet waar zou zijn. 'Mam, ik heb vanmiddag een heel mooi schaakspel gezien,' probeerde ze.

'O ja?' zei haar moeder kortaf en ze draaide zich om naar het aanrecht. 'Ik ben er niet vanavond, dat weet je hè, Saar.'

Sara was teleurgesteld. Ze wilde vertellen hoe mooi ze het schaakspel vond.

'Waar moet je dan naartoe?' vroeg ze sip.

'Ik moet toch elke woensdag naar zangles.' Haar moeder ruimde de boodschappen weg. Ze zag Sara beteuterd naar de tekening kijken. Ze sloeg een arm om haar heen en gaf haar een kus. Sara dook weg.

'Kom, weet je het nog... het liedje dat ik je geleerd heb?'

Sara knikte. Ze zongen het vaak. Haar moeder kon heel mooi zingen, vond ze.

Haar moeder zette in en begon wiegend op de maat van het liedje door de keuken te dansen. Sara zong met haar mee, en klapte in haar handen.

Aan de brief van de meester dacht ze allang niet meer. Ze had ook niet gemerkt dat die uit haar jas was gevallen. Maar haar grootvader, die even later de gang inliep om de krant te pakken, ontdekte hem onmiddellijk.

Grootvader kwam met de brief de keuken in. Sara herkende de envelop meteen en viel stil. Ook haar moeder hield op met zingen. Ze veegde haar handen af aan een theedoek en nam de brief aan. Het leek eeuwen te duren voordat ze hem open had. Maar toen was het snel duidelijk: ze vond wat ze las absoluut niet leuk.

Sara rende de keuken uit, stormde de trap op en wilde nog veel verder rennen maar kon alleen haar slaapkamer nog in. Ze liet zich op haar bed vallen en dook onder de dekens.

Ze hoorde voetstappen de trap op komen, naar haar kamer.

'Waarom heb je me niet verteld dat het slecht ging op school, Saar?' Haar moeder ging op de rand van het bed zitten.

Sara dook nog dieper weg.

'Wat is er met je aan de hand?' De stem van haar moeder klonk nu geërgerd.

Sara antwoordde niet. Ze wilde alles weten over het schaakspel en de man op de foto. Was dat haar vader en wilde haar moeder daarom niet meer schaken? Maar ze durfde het niet te vragen. Haar moeder was toch al boos. Uiteindelijk vertelde ze, nog steeds vanonder de deken vandaan, dat Mariette niet geloofde dat haar vader in Zuid-Afrika woonde.

'Nou, dat moet ze zelf weten!' antwoordde haar moeder bits.

Sara kwam onder de dekens vandaan.

'Maar is het dan wel waar?'

'Natuurlijk is het waar! Luister, Sara, er zijn heel veel kinderen die alleen maar een moeder hebben. En jij hebt opa ook nog.'

'Maar mijn papa is toch niet dood?'

'Nee, maar je bent nog te jong om alles te weten.' Ze zag dat Sara ongelukkig keek. 'Ik beloof je dat ik het vertel, alleen nu nog niet.'

'Wanneer dan wel?' Sara was weer hoopvol: misschien volgende week al?

'Als je wat groter bent!' antwoordde haar moeder vastberaden.

'Als ik negen ben?'

Maar haar moeder luisterde niet meer. Ze vouwde de brief van de meester weer open.

'Eens kijken, je moet aardrijkskunde inhalen en rekenen.'

Sara wilde niet over schoolwerk praten. Ze keek naar het kleurige armbandje om de pols van haar moeder. Het kwam uit Zuid-Afrika, had opa gezegd.

'Heb je dat armbandje van hem gekregen?' vroeg ze voorzichtig.

Haar moeder stopte de brief weg en stond op. 'Sara, hou er over op, wil je.'

'Je hebt het altijd om, hè?'

Sara wist dat haar moeder vaak naar het armbandje keek en er soms mee speelde. Eén keer had ze het afgedaan, toen ze de keuken aan het schilderen was. Toen ze het daarna weer om wilde doen, was het weg. Alles in de keuken werd van zijn plaats geschoven. Zelfs grootvader, die zich nooit ergens mee bemoeide, hielp mee met zoeken. Uiteindelijk was het Sara geweest die het armbandje vond onder de ijskast. Haar moeder had haar omhelsd en wel honderd keer gezegd dat ze knap was, ontzettend knap en daarna had ze de hele avond bij alles wat ze deed gevoeld of het armbandje nog om haar pols zat.

'Ja, ik heb het altijd om,' zei haar moeder en ze pakte Sara's hand.

'Vertel nog eens van die keer dat je het kwijt was,' vroeg Sara tegen beter weten in. Het gesprek was afgelopen, dat wist ze heel goed.

'Een andere keer.' Haar moeder trok haar omhoog. 'Kom, we gaan eten. Weet je wat? Ik ga vanavond niet naar zangles. Ik help je met je schoolwerk. Moet jij eens zien hoe snel je dan weer goeie cijfers haalt. Dan hoef je ook niet te blijven zitten. Je wilt toch niet dom blijven?'

'Jawel!' zei Sara. Alles was beter dan leren.

Gelukkig viel haar moeder, toen ze na het eten Sara's rekenboek lag te bestuderen, in slaap.

Sara zat aan tafel en moest eigenlijk aardrijkskunde doen, maar ze begon een schaakbord te tekenen. Een mooi, groot schaakbord met keurig vierkante zwarte en witte vlakken.

3

De volgende dag op school maakte Sara de tekening van het schaakbord af. Het zwart moest nog zwarter, de lijnen strakker, en ze gomde alles weg wat niet op de witte vlakken thuishoorde.

De meester had al snel in de gaten dat Sara haar schoolwerk niet gedaan had. De provincie Groningen was nog steeds een raadsel voor haar. Misschien heeft ze haar sommen gemaakt, dacht hij en hij zei: 'Sara, vertel eens. Hoeveel is zeven keer negen?'

Sara dook ineen. Gelukkig ging op dat moment de deur van de klas open en kwam de hoofdonderwijzer binnen, met een jongen. Ze herkende de jongen meteen, alleen al omdat hij hetzelfde petje op had. Het was de jongen die ze gisteren bij de nieuwe winkel gezien had. De jongen van het schaakspel.

'Zo, meisjes en jongens, dit is Victor. Hij komt bij jullie in de klas,' zei de hoofdonderwijzer. Hij wisselde een blik met de meester en verliet de klas weer.

De meester legde een hand op Victors schouder en zei: 'Dag Victor, wat leuk dat je bij ons komt. Zoek maar snel een plaatsje, we zijn net met sommen bezig.'

Victor keek de klas rond en ontdekte Sara. Verheugd liep hij op haar af en schoof op de stoel naast haar.

Sara durfde hem niet aan te kijken, zo leuk vond ze het.

De meester klapte in zijn handen. 'Vooruit, Sara, je dacht zeker dat je van me af was. Vertel eens. Hoeveel is zeven keer negen?'

Sara wist het niet, echt niet. Ze dook nog meer ineen dan daarnet. Ze staarde in haar rekenboek en kreeg het warm. Ze wilde niet meer opkijken, nooit meer.

De meester kwam dichterbij, dat hoorde ze.

'Nou, ik wacht. Deze sommen heb ik gisteren nog uitgelegd.'

Sara durfde nu ook niet naar het antwoord te raden, wat ze anders nog wel eens deed. Vanuit haar ooghoek zag ze dat Mariette haar vinger opstak. Gelukkig.

Maar de meester bleef voor háár tafeltje staan. De cijfertjes in haar rekenboek dansten heen en weer, zo dicht hing ze erboven.

Eindelijk knikte de meester naar Mariette.

'Drieënzestig, meneer,' zei Mariette met haar heldere stem.

Mariette wist altijd alles. Mariette was de beste van de klas. En zijzelf? Zij was stom, de stomste van de klas. Victor zou dat nu ook wel doorhebben.

De meester schreef iets op het bord. Sara's blik dwaalde naar buiten. Ze keek naar de vogels op het schoolplein. Ze zag Bertje, het kleinste vogeltje dat overal achteraan hipte en altijd te laat was als er iets lekkers weg te pikken viel. Hij fladderde naar het raam en ging bij haar in de vensterbank zitten.

'Maken jullie som tien tot en met vijftien,' zei de meester en hij kwam naar hun tafeltje toe lopen. 'Jij kan wel even met Sara meedoen, Victor.' Hij schoof haar rekenboek naar het midden.

Victor sloeg zijn schrift open, pakte een pen uit zijn etui, keek in het rekenboek en begon zonder enige hapering achter elkaar de antwoorden op te schrijven.

Sara deed niet eens moeite. Ze tekende verder. Ze merkte dat Victor ophield met schrijven en naar haar keek. Nee, ze kon geen sommen. Nou, en! Ze kraste dieper met haar potlood in het papier. Nu werd zelfs de mooie tekening van het schaakbord een rommeltje. Toen ze weer opzij keek, zag ze dat Victors ogen nog steeds op haar gericht waren. Ineens schoof hij zijn schrift naar haar toe. Ze kon de antwoorden, die hij netjes onder elkaar had geschreven, gemakkelijk lezen.

Ze keek hem onderzoekend aan. Hij keek helemaal niet alsof hij haar stom vond. Hij keek meer alsof hij hoopte dat ze kon lezen wat er in zijn schrift stond.

Sara aarzelde niet langer. Ze wierp een snelle blik op de meester; hij keek gelukkig een andere kant op. Zo snel ze kon, maar ook zo netjes mogelijk, schreef ze de antwoorden van Victor over. Straks zou ze de tekening van het schaakbord eruit scheuren en dan zag haar schrift er net zo uit als de schriften van de andere kinderen in haar klas.

Maar Sara wist niet dat de meester zich had omgedraaid en alles had gezien.

Even later toen iedereen klaar was met de sommen, liet hij verschillende kinderen de antwoorden voorlezen. Ook Sara.

Voor het eerst in haar leven wist ze het goede antwoord. Ze vond het zo raar dat ze veel te zacht praatte.

'Wat zeg je? Ik kan je niet verstaan, Sara.'

'Tweeëndertig, meneer!' herhaalde ze met meer zelfvertrouwen.

De meester knikte. 'Heel goed, Sara.'

De rest van de klas keek verbaasd op. Had hij het tegen Sara?

De meester boog zich naar Victor. 'Het is het beste als je daar gaat zitten, Victor,' zei hij onverwachts en hij wees een tafeltje voor in de klas aan.

Victor begreep er niets van. 'Maar ik wil naast haar zitten.'

De kinderen in de klas begonnen te giechelen.

'En ik wil dat je daar gaat zitten,'zei de meester beslist. Hij wilde Sara geen straf geven, maar als Victor naast haar bleef zitten, zou ze helemaal niets meer aan haar schoolwerk doen.

Victor vond het maar raar.

'Victor is op Sara! Victor is op Sara,' fluisterden de kinderen, toen hij gelaten naar het andere tafeltje liep.

Gelukkig liet de meester Sara de rest van de les met rust en kon ze ongestoord naar de vogels buiten op het schoolplein kijken.

Ze vond het minder leuk dan anders.

Sara greep haar jas van de kapstok. Ze wilde naar buiten rennen, maar de meester riep haar terug.

'Heb je de brief wel aan je moeder gegeven, Sara?'

Sara knikte.

'En waarom had je je schoolwerk dan weer niet gemaakt?'

'Mijn moeder viel in slaap,' antwoordde ze.

'O, nou ja. Weet je wat? Zeg maar tegen je moeder dat ík je wel bijles wil geven als zij geen tijd heeft.'

Bijles van de meester! Nog langer in de klas zitten, nog meer vragen. Als ze bijles van de meester kreeg, zou ze weglopen en nooit meer terugkomen.

Sara knikte en wist tegelijkertijd dat ze het nooit tegen haar moeder zou zeggen. Ze draaide zich om.

Iets verderop in de gang stond Victor. Hij had zijn jas aan. Stond hij op haar te wachten? Nee, vast niet.

Sara liep verlegen langs en probeerde net te doen alsof ze hem niet zag. Maar even later kwam hij achter haar aan en ging naast haar lopen.

Sara voelde zich blij worden.

Ze liepen samen door het dorp. Sara liet Victor zien waar je het lekkerste brood kon kopen, waar de eendjes de weg overstaken, waar ze wel eens de lamp van een lantaarnpaal had stuk gegooid en hoe je door de tuinen naar school kon rennen als je te laat was. Victor, die er altijd wat bleek uitzag, kreeg nu een kleur van opwinding.

Ze gingen naar haar moeder om te vragen of ze bij hem mocht spelen. Haar moeder vond het goed, als ze maar op tijd naar huis ging.

'Je moet nog schoolwerk doen, Sara.'

Blèh, schoolwerk, dacht Sara.

De meeste verhuisdozen waren uitgepakt en de winkel van Victors vader was volgestouwd met speelgoed. Alles stond kriskras door elkaar, alleen de etalage was ingericht.

Sara zag het mooie schaakspel in de etalage. Er stond een prijskaartje met f 75,00 bij. Sara had geen verstand van geld, maar vijfenzeventig gulden leek haar niet veel.

Victor keek ook naar het schaakspel, maar dacht waarschijnlijk aan heel andere dingen. Hij had Sara net verteld dat zijn moeder gestorven was toen hij nog maar een baby was. Hij wist niet eens hoe ze er in het echt had uitgezien, want hij kende haar alleen van foto's.

'Ik ken mijn vader ook alleen van een foto,' wilde Sara zeggen, maar ze deed het niet want haar vader was niet dood en bovendien wist ze niet of de man die naast haar moeder op de foto stond, haar vader wel was.

Victor kreeg plotseling een ontzettend goed idee.

'Zal ik je helpen met je taak?'

Nu? Dat was wel het laatste waar Sara zin in had. 'Nee. Ik kan het niet.'

'Natuurlijk wel.' Hij wilde laten zien dat ze het wél kon.

'Ik vind het niet leuk.' Sara meende het.

Maar Victor zei dat het wel leuk was. 'Vooral rekenen.'

Hoe kon rekenen nou leuk zijn? vroeg Sara zich af.

Victor hield vol. 'Het is toch leuk als je iets kunt uitrekenen.'

'Zoals wat dan?' Sara begreep maar niet waar Victor zo enthousiast over was.

'Nou, hoe lang je al leeft en hoe lang je al op school zit.'

Wie ging er nou uitrekenen hoe lang je op school zat!

'Je zit altijd op school!' zei ze lachend.

Victor schudde resoluut zijn hoofd. 'Nou, ik niet, hoor. Ik heb bijna nooit op school gezeten.'

Sara keek hem onderzoekend aan. Hoe kon hij nou niet vaak op school zijn geweest? Victor was heel knap.

Hij stak zijn handen in zijn zakken.

'Ik ben ziek geweest.'

Sara knikte begrijpend, maar ze durfde niet te vragen wat voor ziekte hij dan had gehad.

Gelukkig verscheen Victors vader in de deuropening. Hij vroeg of ze binnenkwamen, thee drinken.

4

Sara kreeg van de vader van Victor een grote beker thee en ze mocht net zoveel koekjes eten als ze maar wilde. En toen ze haar eerste beker thee op had, werd hij meteen weer volgeschonken en pakte ze nog een koekje.

Victor zei dat hij een beetje hoofdpijn had. Zijn vader gaf hem een pilletje, een mooi roze pilletje. Sara zag hoe Victor het geroutineerd wegslikte. Ze kon zich niet herinneren ooit een pil gekregen te hebben, maar ja, zij was dan ook niet heel erg ziek geweest.

Victors vader kwam bij hen zitten. Hij had dezelfde kleren aan als gisteren. Deze kleren zaten gewoon erg lekker, zei hij, en waarom zou je dan andere aantrekken. Dat ze een beetje vies waren was helemaal niet erg, als ze maar niet stonken.

Hij wilde alles weten: of de meester aardig was en of Victor een goed plaatsje in de klas had gevonden en of hij alles begreep.

Victor vertelde dat hij eerst naast Sara zat, maar dat dat even later niet meer mocht.

'Mocht je niet naast Sara zitten? Waarom niet?'

'Dat weten we niet,' zeiden de kinderen in koor.

'En wilde de meester het ook niet uitleggen?'

De kinderen schudden hun hoofd.

'Nou ja, zeg. Wat is dat voor idioots?' Victors vader keek alsof hij het heel, héél erg raar vond.

Sara vond het leuk dat de vader van Victor de meester niet begreep. Iedereen begreep altijd alles van de meester, haar moeder ook. Alleen zijzelf begreep hem niet.

Opeens voelde ze zich niet meer zo alleen.

Victor wilde Sara zo graag helpen met haar schoolwerk dat ze uiteindelijk toegaf en haar rekenboek tevoorschijn haalde.

Terwijl zijn vader de winkel verder inrichtte, begon Victor haar een som uit te leggen. 'Kijk je?'

'Ja-ha...' Maar ze keek helemaal niet. Er was veel te veel te zien in de winkel. Er stonden rare auto's en roestige treinen en sommige beesten misten een oor of een oog. Sara vond die beesten mooi.

'Twee keer dertien is...'

Sara keek naar Victor.

Die werd ongeduldig. 'Zesentwintig. Zesentwintig min vijf is...'

Ze had helemaal geen zin. 'Ik vraag wel aan mijn moeder of ze me helpt,' zei ze.

'Maar dat weet je toch wel!'

'Nee, dat weet ik níét.' Sara werd boos. Victor deed nu ook al alsof ze het expres niet wist. Ze sloeg haar rekenboek dicht.

Victor schrok ervan. Hij wilde haar juist helpen.

De vader van Victor draaide zich om.

'Waarom doen jullie niet iets wat Sara wil?'

'Maar Sara wil helemaal niets!' zei Victor ongelukkig.

'Ook niet fietsen of tekenen of spelletjes?'

Sara die al op zoek was naar haar jas, bleef staan. Ja, ze wilde heel graag spelletjes doen. Vooral... Nee, dat mocht toch niet.

Victor keek naar zijn vader. 'Maar je begrijpt het niet. Ze is heel slecht op school en anders blijft ze zitten.'

Sara keek nu ook naar Victors vader. Nee, dat wist hij niet. Sara wist het wel, maar ze wilde toch niet rekenen.

'En dacht je dat je haar hielp door haar iets te leren wat ze niet leuk vindt? Ik heb jou nooit iets geleerd wat je niet leuk vond.'

'Ik vind rekenen leuk,' antwoordde Victor beteuterd.

'Ook niet meteen.'

Victor dacht er even over na en herinnerde zich hoe zijn vader hem rekenen had geleerd. Hij keek naar Sara.

'Zal ik je leren rekenen zoals mijn vader dat deed?'

Nee... daar had ze nu juist helemaal geen zin in. Ze trok haar jas aan.

Victor keek naar zijn vader met een blik van: zie je wel, maar die zei: 'Weet je wat? Jij mag zeggen wat je wilt leren. Het mag alles zijn.'

Echt alles? Sara hield haar adem in en keek om, naar de etalage. De zon scheen naar binnen en het schaakspel schitterde als nooit tevoren.

'Wil je leren schaken?' vroeg Victors vader verrast.

Sara knikte voorzichtig. 'Maar dat is veel te moeilijk, hè?'

Victors vader lachte. 'Nee hoor. Dat is helemaal niet moeilijk. Je zal het heel leuk vinden.'

'Pap, mag ik het spel pakken?' Victor glunderde. Eindelijk iemand met wie hij kon schaken, behalve zijn vader.

Sara wist niet hoe snel ze haar jas uit moest doen.

Even later voelde ze haar hand om het schaakbord. Samen met Victor droeg ze het voorzichtig naar de tafel. De koningin schommelde zachtjes heen en weer en Sara zag het ook nu weer duidelijk: ze glimlachte.

Victor pakte het boek *Lang leve de koningin*. Het was een mooi boek met grappige plaatjes waarin het verhaal van de witte koningin werd verteld.

Sara zag dat de koningin zich uitrekte en verheugd naar haar opkeek.

Victor begon voor te lezen. Hij probeerde het zo spannend mogelijk te doen.

♕ Er waren eens een koning en een koningin. Ze woonden in een groot kasteel op een hoge berg, in een land, ver hiervandaan.

Ze waren altijd heel gelukkig geweest, totdat de koning zich op een dag begon te vervelen, echt heel erg te vervelen. Hij zat op zijn hemelbed en droeg een satijnen ochtendjas en bonte pantoffels. De kwast van zijn slaapmuts bungelde vrolijk om zijn hoofd terwijl hij nors door een boek bladerde.

Toen smeet hij het boek weg en keek om zich heen, op zoek ♕ naar iets anders om te doen.

Victor keek even op om te zien of Sara wel luisterde. En Sara luisterde, heel goed zelfs. Zo goed luisterde ze niet eens naar haar grootvader als die een spannend verhaal vertelde.

Victor las verder.

⌂ Ineens dacht de koning iets te horen. Ja. Voetstappen. Hij kroop snel onder de dekens en deed het licht uit. De voetstappen kwamen dichterbij. Hij wist het al. Het was zijn vrouw, de koningin, die eraankwam. Hij dook nog dieper onder de dekens. Hij zou haar wel even laten weten hoe ongelukkig hij was. Tussen de lakens door loerde hij naar de deur.

De koningin kwam de kamer binnen. Ze keek vriendelijk, zoals altijd, en gleed meer dan dat ze liep naar het raam. Toen ze de luiken opende vulde het vertrek zich met warm zonlicht. Alles zag er meteen vrolijk uit.

'Wat een prachtige dag. Het is werkelijk beeldschoon,' zei ze en de zon twinkelde in haar groene ogen. Ze snoof de zachte buitenlucht in zich op.

De koning werd boos. Zag ze dan helemaal niet dat hij zielig was? Op luide toon zei hij: 'Het is altíjd beeldschoon!'

Maar de koningin hoorde het boze gebrom niet. Ze keek naar de fonkelende rivier beneden in het dal waar langs de oever mensen zaten te vissen.

'Zullen we vandaag eens lekker gaan wandelen?' vroeg ze.

'Ik wil niet wandelen. Ik heb alles al gezien.'

'Alles?'

'Ja, alles. Wat is nou een koning die de hele dag wandelt. Er is geen oorlog. Er is geen hongersnood. Iedereen is gelukkig, behalve ik.'

De koningin kwam naar hem toe en ging op de rand van zijn bed zitten. Ze kon er niets aan doen, maar ze moest altijd een beetje lachen als haar man zo deed.

De koning keek nog zieliger. 'Je begrijpt me niet. Ik verveel me.'

'Arme schat.'

'Als ik nou oorlog mocht voeren...' zei hij met een pruillip. Hij spiedde afwachtend naar zijn vrouw.

'Oorlog!' De koningin lachte niet meer. Een rilling gleed over haar koninklijke rug.

'Ja. Ik begrijp niet wat je tegen oorlog hebt. Land veroveren en...'

De koning hield op want de koningin keek nu erg ongelukkig. Hij dook weer als een verwend kind onder de dekens. 'Ik verveel me heel erg, heel ontzettend verschrikkelijk erg...'

De koningin besefte dat hij het meende. En ze wist ook dat als er niet snel iets gebeurde, de koning oorlog zou gaan voeren.

Op de grote binnenplaats van het kasteel zat de hofdame te borduren.

De hofdame was de beste vriendin van de koningin. Altijd al geweest, zelfs toen de koningin nog een klein prinsesje was. Sindsdien vertelde de koningin haar alles en dus nu ook.

Oorlog! De hofdame schrok zo dat ze in haar vinger prikte. Ze hield, net als de koningin, volstrekt niet van oorlog. Vooral omdat de koning meestal verloor en dan ook nog eens verschrikkelijk boos werd. Al die gewonde soldaten en overal in het kasteel kapotgeschoten muren... Konden ze niet gewoon met hem Ganzenborden of Mens-erger-je-nieten? Dat was zo lekker rustig.

Maar de koningin schudde haar hoofd. Ze had geen zin meer in Mens-erger-je-nieten.

'Nou, de koning was anders erg tevreden over zijn dobbelsteen met alleen maar zessen.' De hofdame herinnerde zich dat de koning het niet eens door had gehad.

De koningin liep peinzend heen en weer. Opeens stond ze stil. Ze had iets bedacht, dat was duidelijk.

De hofdame liet haar borduurwerk zakken.

'Stel nou dat we zelf een spel verzinnen,' zei de koningin. 'Een mooi en interessant spel, een spel dat wij ook leuk vinden en dat nooit verveelt. Een spel speciaal voor de koning.'

De hofdame wist niet helemaal wat voor een spel dat dan moest zijn, maar haar koningin leek enthousiast... Ze knikte ♛ bemoedigend.

Sara keek verheugd op. Zij wist wel wat voor spel de koningin bedoelde.

'Schaken!'

33

5

♕ Terwijl de koningin over de zwarte en witte tegels van de binnenplaats liep en diep nadacht, borduurde de hofdame tevreden verder. Ze neuriede. Haar koningin was een spel aan het verzinnen, een spannend spel zodat de koning zich nooit meer zou vervelen. Hij zou niet eens meer tijd hebben voor oorlog.

De hofdame besefte niet hoe moeilijk het was om een spel te verzinnen. Anders had ze vast niet zo zorgeloos zitten neuriën.

Een spel voor de koning? peinsde de koningin. Wat vond haar man nou leuk? Ja, oorlog! Ze rilde alweer bij de gedachte.

Toch bracht het haar op een idee. Een oorlogsspel... Ja, dan kon de koning zoveel oorlog voeren als hij wilde, zonder dat er iemand gewond raakte. Heel goed. Dan moest er dus een koning in het spel voorkomen!

De koningin keek om zich heen en zag de lakei die bij de poort op wacht stond.

De lakei leek wel niet op haar man – die was namelijk groot en stevig en had een klein baardje en dikke wangen, terwijl de lakei mager was en lang haar had dat in sierlijke krullen over zijn schouders viel – maar zolang de koning zelf niet meedeed (hij mocht immers niet weten dat er een spel verzonnen werd) kon de lakei wel even zijn plaats innemen.

'Ach, zou jij zo vriendelijk willen zijn even hier te komen?' vroeg de koningin charmant.

De lakei keek op. Had de koningin het tegen hem?

'Ik?'

'Ja, jij. Zou je even voor koning willen spelen?'

De lakei wist niet wat hij hoorde. Voor koning spelen?!

De koningin wees een witte tegel op de binnenplaats aan.
'Als jij nou eens daar ging staan.'

De magere lakei probeerde de zware stap van de koning na te bootsen. Dat was niet makkelijk. Parmantig waggelend bereikte hij de tegel. Hij ging er keurig op staan.

'Zo, en wat moet ik nu doen?'

35

'Nog even niets,' antwoordde de koningin.

Ze keek naar de lakei die kaarsrecht op de tegel stond. Zo, dat was de koning. Wel een beetje alleen.

En toen, in een opwelling, besloot ze iets, iets leuks. Ze ging naast de lakei staan, keek hem ondeugend aan en zei: 'Weet je wat? Ik doe ook mee!'.

De lakei begon heftig te kuchen.

De koningin keek verbaasd. Vond hij het soms niet goed dat ze meedeed?

'Neemt u me niet kwalijk, maar u staat aan de verkeerde kant. U hoort links van de koning,' zei de lakei voorzichtig.

O, ging het daarom! 'Dom, dom, dom, dat ik dat nu toch helemaal vergat.' Opgewekt en sierlijk verwisselde de koningin met hem van plaats. Het leek wel een dansje.

De koningin wilde onthouden waar ze nu stond. Ze wou de fout niet nog een keer maken.

Ze keek naar beneden en zag dat ze op een witte tegel stond. Wit! Dat was makkelijk. Dat was de kleur van haar jurk. Ze keek naar haar handen: als de koning aan de kant stond van de hand waar ze mee schreef, haar rechterhand, en als ze dan aan de andere kant, aan haar linkerhand, in de hoek een zwarte tegel zag, dan stond ze goed.

Het was eigenlijk heel makkelijk!

Toen eenmaal duidelijk was dat de koningin zelf aan het spel meedeed, ging het snel. Want nu wou de hofdame ook meedoen, en omdat de hofdame meedeed, moest de raadsheer van de koning ook meedoen, anders was het niet eerlijk. De raadsheer kwam narrig de binnenplaats oplopen. Hij was geen man die tijd had voor spelletjes.

'Ach, zou u zo vriendelijk willen zijn naast de koning te gaan staan?' vroeg de koningin.

Welke koning? vroeg de raadsheer zich knorrig af. Hij wou het liefst rechtsomkeert maken, maar zijn koningin keek hem lief aan en dan was het moeilijk weigeren.

De lakei, die van de hofdame een soort nepkroon op zijn hoofd had gekregen, begon uitbundig met zijn zakdoek te zwaaien. 'Ik ben de koning!' joelde hij uitgelaten over de binnenplaats.

De raadsheer zuchtte. Met gekken viel niet te redetwisten. Met een stijve rug ging hij naast de lakei staan. 'Nou, énig spel,' zei hij net iets te hard.

De hofdame keek hem boos aan. 'Ja, we zijn ook nog niet klaar!'

En dat was te merken ook, vond de raadsheer, want de koningin vroeg zich ineens af of ze de paarden misschien mee zou laten doen.

De paarden! Die trage beesten, die als ze gingen praten niet meer ophielden en alles wel tien keer herhaalden. En ze konden niet eens behoorlijk springen. Die suffe beesten hadden hem bij de vorige oorlog behoorlijk wat problemen bezorgd. De raadsheer werd weer draaierig als hij eraan dacht.

Maar de koningin vond dat de paarden er niets aan konden doen. Ze waren zo trouw. En dus werden Karel en Kees – zo heetten ze – geroepen.

En inderdaad: toen ze hoorden dat er een spel werd verzonnen, vroegen de paarden wel tien keer of ze het goed gehoord hadden.

'Een spel? Horen we dat goed? Een spel? En wij mogen meedoen?'

Het was om gek van te worden, vond de raadsheer. Hij had trouwens sowieso wel iets beters te doen, vooral omdat de koning hem die ochtend bij zich had geroepen. Op plechtige toon had deze verkondigd dat het uur van oorlog voeren snel naderbij kwam. En aangezien de raadsheer dan moest uitzoeken hoe en wanneer en vooral tegen wie die oorlog moest plaatsvinden, had hij het nu razend druk.

Net op het moment dat hij het echt welletjes vond, kwamen zijn twee torens de binnenplaats oprijden. In elke toren bleek een soldaat te zitten. Precies tegelijk verschenen hun hoofden boven de rand.

'Raadsheer, heeft u even tijd voor ons?' vroegen ze beleefd.
Hun onderdanige toon werd door de raadsheer bijzonder op prijs gesteld. Het was namelijk zijn uitvinding, die torens op wielen. Met de nodige nonchalance zei hij: 'Ik kom zo bij jullie!'

'Wie zijn dat?' vroeg de koningin nieuwsgierig.

'Een nieuwtje,' antwoordde hij trots. 'Ik dacht dat het handig zou zijn als we torens op wielen hadden, bij de volgende oorlog. Het biedt namelijk ongekende...'

Het gezicht van de koningin klaarde op. Nog voor de raadsheer kon uitweiden over de ongekende mogelijkheden, viel ze hem in de rede.

'Heel goed, jongens. Kom er maar bij. Eentje daar en eentje daar.' Ze wees de torens hun plekken, naast de paarden, op de hoeken van de zwartwitte vloer.

De moed zonk de raadsheer in de schoenen. Hoe moest hij zonder...? Hij wou nog wat zeggen maar kreeg de kans niet. Tot zijn grote verbijstering kwamen er ook nog eens soldaten aanstormen. Zijn beste acht nog wel! Als die ook meededen, had hij niemand om te laten vechten in de komende oorlog.

De soldaten stelden zich in een lange rij voor de anderen op.

'En nu?' De raadsheer hoopte dat het spel gauw afgelopen was.

'En nu gaan we oorlog voeren,' verklaarde de koningin opgewekt.

Oorlog? Juist! Nu ja, gelukkig: ze was niet helemaal gek geworden.

De raadsheer maakte zich los uit de rij. 'Heel goed, dan ga ik alvast!'

De koningin hield hem tegen. 'Nee, u blijft hier! U gaat ons uitleggen wat je doet als je oorlog voert,' zei ze vriendelijk.

De raadsheer bekeek haar achterdochtig. Meende ze het echt?

'Dat wilt u niet weten,' zei hij.

'Jawel, dat wil ik wel weten.' Weer keek ze hem met die onschuldige ogen aan.

'Goed. Allereerst heb je een tegenstander nodig.'

'O, natuurlijk. Hoe kon ik dat vergeten! Laten we de buurtjes vragen,' zei ze vol geestdrift.

'De buurkoning?' Die vreselijke buurkoning, nee toch...

'En zijn vrouw.' De koningin verheugde zich blijkbaar al op hun komst.

'Maar daar wilden de koning en ik juist oorlog tegen gaan voeren,' stamelde de raadsheer.

'Komt niets van in, dat ruwe gedoe.' Ze klonk heel vastberaden.

Toen verhief de raadsheer, geheel tegen zijn gewoonte in, zijn stem.

'U weet hoe de koning over ze denkt. Het zijn verschrikkelijke figuren, die denken dat het leven een lolletje is.'

'O ja?' zei de koningin hooghartig. 'Toevallig zijn het gezellige mensen die nu eens niet de hele tijd aan oorlogvoeren denken.' Ze wenkte haar hofdame. 'Vraag de buurkoningin zo snel mogelijk te komen,' beval ze.

De raadsheer gaf zich over. Dit was een verloren zaak. Hij had zijn best gedaan en dat zou hij de koning vertellen ook, als het spel gepresenteerd werd. De koning zou razend zijn!

6

♛ Met groeiende ergernis volgde de raadsheer de binnenkomst van het buurkoningspaar. Eigenlijk zagen ze er net zo uit als zijn eigen koningspaar, alleen was hun kleding zwart in plaats van wit. Maar ze dansten toen ze de trap afliepen en barstten om de haverklap in uitbundig gelach uit.

Toch was het dansen en lachen nog niet het ergste. Nee, echt het aller-, allerergste was dat er in hun gevolg zwarte torens kwamen aanrijden, op wielen! En nóg erger: ze waren geruisloos en leken sneller dan zijn eigen torens. Onbegrijpelijk, dat die mensen zoveel plezier maakten en ook nog goede ideeën hadden...

'Ziet u dat, raadsheer? Zij hebben ook zo'n nieuwtje!' fluisterde de witte koningin in zijn oor.

Zij had het ook gezien! Wat een blamage. De raadsheer wou het liefst door de grond zakken.

Het zwarte koninkrijk stelde zich op, aan de andere kant van de binnenplaats. Dat ging met veel gebabbel, gelach, geduw en getrek gepaard.

De zwarte koningin begon ineens driftig te zwaaien.

Ze moet naar de wc of ze wil wat zeggen, redeneerde de raadsheer.

'Ach, zou het misschien... ik ben het zo gewend en als het nu anders...' De zwarte koningin maakte verontschuldigende gebaren. Na lang ge-uh en ge-maar werd duidelijk dat ze niet links, maar rechts van haar man wilde staan. Daar stond ze namelijk altijd, zei ze.

Ja, als je eenmaal iets gewend bent, moet je het niet opeens anders doen, vond ook de witte koningin.

'Weet u wat? Als u aan de rechterkant van uw man gaat staan, dan staan wij tegenover elkaar en dan staat u ook nog eens met uw zwarte jurk op een zwarte tegel.'
De dames leken het helemaal eens te zijn en begonnen vrolijk te lachen.
Nou, nou, nou, wat enig. De raadsheer schudde zijn hoofd. Wat een onbenulligheid.

Het witte en het zwarte koninkrijk stonden uiteindelijk als twee legers tegenover elkaar.* Maar het was de raadsheer nog steeds een raadsel wat de bedoeling van dit spel was.
'Nu is het toch altijd zo dat je in een oorlog de koning van de tegenpartij gevangen moet nemen?' vroeg de witte koningin geïnteresseerd.
De raadsheer knikte. 'Ja, dat is min of meer correct.'
Ah, dit was dus een oorlogsspel! Hij kreeg weer hoop en gniffelde bij het idee dat zijn soldaten met veel geweld de buurkoning gevangen gingen nemen.
'Ik dacht dat we het gezellig zouden houden,' zei de zwarte koning bezorgd.

* Zie tekening op p. 174/175

De witte koningin stelde hem gerust. 'Natuurlijk houden we het gezellig.' Ze rechtte haar rug en sprak beide legers toe.

'De eerste spelregel luidt: "Wie de koning van de tegenpartij gevangen kan nemen, heeft gewonnen."

De witte soldaten waren gewend de daad bij het woord te voegen. Ze sprongen als één man in het gelid (dat had de raadsheer ze geleerd), hielden hun speren dreigend voor zich uit en riepen: 'Lang leve de koningin!'

Tot groot genoegen van de raadsheer stormden ze hierna met gebalde vuisten op het zwarte front af.

Het zwarte front kon niet anders dan ook de wapens heffen en terugvechten. Binnen een mum van tijd ontstond er één grote vechtende kluwen.

De raadsheer genoot, als enige. Alle anderen keken pijnlijk of durfden helemaal niet te kijken. De paarden bijvoorbeeld hadden hun hoeven voor hun ogen geslagen.

De witte koningin was zo verbaasd dat ze even niets kon uitbrengen. Maar gelukkig herstelde ze zich, anders waren er zeker gewonden gevallen.

'Ho! Stop!' beval ze luid en duidelijk, en met gevaar voor eigen leven begaf ze zich tussen de vechtende troepen.

De witte soldaten, trouw als ze waren aan hun koningin, stopten ogenblikkelijk met vechten. Nu hielden de zwarte soldaten natuurlijk ook op. Ze waren tenslotte gekomen om een spelletje te spelen en niet om te vechten.

'Dit is niet leuk. Ik houd niet van geweld,' zei de koningin diep beledigd.

De raadsheer deed een ferme stap naar voren.

'Eén ding is zeker: er moet geweld in het spel voorkomen!'

'Dat hoeft helemaal niet.' De koningin keek hem uit de hoogte aan.

De raadsheer keek minstens zo fier.

'U moet het zelf weten, maar dan is dit geen spel voor de koning,' zei hij.

De koningin trok zich er niets van aan. Het spel was nog lang niet af en ze had wel wat beters te doen dan luisteren naar iemand die nooit iets leuk vond. Ze ging gewoon verder en bedacht dat ze nu wel wist wie er allemaal aan het spel meededen, maar nog niet wat iedereen ging doen.

'Laat ik maar met de koningen beginnen,' zei ze en ze keek naar de raadsheer. 'Zou u zo vriendelijk willen zijn alles te noteren?'

De raadsheer haalde met lichte tegenzin zijn notitieboek en ganzenveer vanonder zijn mantel tevoorschijn. Nou goed, omdat hij er toch was.

'De koning mag naar voren, naar achteren, opzij en schuin, maar hij mag zich maar één tegel per keer verplaatsen,' zei de koningin. Het leek haar het verstandigst als de koning een beetje in de buurt van het thuisfront bleef.

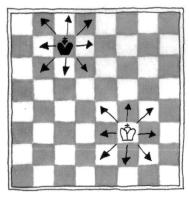

'Tja, dat zal de koning niet leuk vinden,' mompelde de raadsheer.

'Beste raadsheer. Het is toch veel te gevaarlijk voor de koning om ver van

huis te gaan?' De koningin keek erbij als een volleerd veldheer.

De zwarte koning beaamde het met opgewonden gebaren. 'O, ja, nee, verschrikkelijk. Ik kom nóóit voor de linies.'

En hij kon het weten, want hij verloor zelden een oorlog.

De koningin glimlachte. Ze wist nauwelijks wat linies waren, maar ze begon zin in het spel te krijgen, vooral nu ze mocht bedenken wat zijzelf en de zwarte koningin gingen doen.

'Eens even kijken. Wij mogen ook naar voren en naar achteren en opzij en schuin.'

De twee koninginnen deden precies tegelijk een stap naar achteren, naar voren, opzij en schuin en keken elkaar aan. De zwarte koningin begon alvast te giechelen.

En toen fluisterde de witte koningin samenzweerderig: 'Maar wij mogen zover we kunnen!'

Iedereen, dat wil zeggen iedereen behalve de raadsheer, begon te juichen. Dat was nog eens een leuke spelregel! De twee koninginnen die zover mochten als ze konden, terwijl de koning maar één stap mocht. Hahaha, de onderdanen sloegen zich op de knieën van de pret.

De raadsheer bekeek het tafereel onbewogen en schreef de regel niet eens op. De koning zou ontploffen bij het horen van zoiets idioots.

De koninginnen hadden ondertussen volledig de smaak te pakken en oefenden vrolijk zwierend hun passen.

Opeens verscheen de lakei van de koning boven aan het bordes. Hij blies op zijn trompet. De koningin schrok, want als de lakei van de koning verscheen, was de koning meestal zelf ook in aantocht. Ze gebaarde dat iedereen weg moest. Zo snel mogelijk.

Dit liet de raadsheer zich geen twee keer zeggen. Het laatste wat hem moest overkomen was dat de koning hem met die idioten zou betrappen. Hij had opdracht gekregen om een oorlog voor te bereiden en niet om stompzinnige spelletjes te spelen.

Het zwarte koningspaar zwaaide nog even naar de witte koningin en verdween razendsnel door de grote poort naar buiten.

Natuurlijk zag de lakei van de koning die wegstuivende onderdanen wel, maar het kwam niet in hem op het gek te vinden. Hij wachtte geduldig tot het stiller werd.

'De koning vraagt om hare majesteit de koningin. Hij wil voorgelezen worden,' declameerde hij toen plechtig.

De koningin snelde de trappen op, naar de vertrekken van de koning.

De hofdame was diep teleurgesteld, ze vond het net leuk worden. Ze was ontzettend benieuwd naar wat zij zelf in het spel mocht doen, en nu moest ze wachten. Ontstemd stampte ze op de marmeren vloer. Dat deed de koning nou altijd! ♛ Net als het leuk werd, moest hij voorgelezen worden.

Victor staarde naar de letters in het boek. Hij wilde verder lezen, maar zag bijna niets. De letters leken verdwaald in een dichte mist.

Hij greep zich vast aan de tafel. Alles om hem heen ging heen en weer, als op een schip. Hij hoorde Sara in de verte zijn naam roepen. Hij werd misselijk, probeerde iets te zien wat hij herkende, maar de mist sloot zich.

Zijn bril gleed van zijn neus.

Hij voelde Sara's hand. Ze greep hem vast.

En toen werd het donker.

7

Victor hing zwaar in haar armen. Zo meteen ging hij dood! Wankelend onder zijn gewicht, schreeuwde Sara om zijn vader.

Toen die zag wat er aan de hand was, nam hij hem meteen van haar over. Hij schudde zijn zoon voorzichtig heen en weer. 'Victor! Victor!!' Zijn stem klonk bezorgd.

Victor reageerde zwakjes, tranen biggelden over zijn wangen. Hij opende even zijn ogen. 'Pap, ik had het weer!'

Zijn vader knikte.

Anderhalf jaar geleden had Victor last gekregen van epileptische aanvallen. Gelukkig waren de aanvallen snel verminderd onder invloed van medicijnen, en zelfs uiteindelijk weggebleven. Maar Victor was sindsdien snel moe en klaagde af en toe over hoofdpijn. En dan, zoals nu, die duizeligheid... Hopelijk was het de opwinding van de verhuizing.

'Kom, dan leg ik je in bed.'

Victor wilde zelf lopen, maar dat lukte niet erg. Zijn vader bracht hem naar zijn slaapkamer.

Sara bleef achter. Ze pakte haar jas. Ze wist niet goed of ze nog in de winkel kon blijven, nu ze alleen was.

Victors vader praatte zachtjes tegen zijn zoon in de slaapkamer achter de winkel. 'Hier, trek dit maar aan. Wil je een beetje water? Maak je maar geen zorgen, lieverd. Het komt allemaal goed.'

Sara luisterde ernaar.

'Mag ik nog even naar Sara?' vroeg Victor opeens.

Misschien voelde hij zich weer beter en zou hij enthousiast als altijd de winkel in komen, hoopte Sara.

Maar zijn vader vond het niet goed. 'Nee, je moet nu echt even slapen.'

Zou Victor zijn moeder missen? Sara zou niet willen dat haar moeder dood was.

'Pap, mag Sara het boek hebben van de koningin?' hoorde ze Victor vragen.

Sara keek naar het prachtige boek waar het verhaal van de koningin in beschreven stond. Ze sloeg het open en bestudeerde het grappige plaatje van de koning in zijn slaapkamer.

Ze wilde net gaan lezen toen ze achter zich de bel van de winkeldeur hoorde. Er kwamen klanten binnen.

Sara draaide zich om en keek recht in het gezicht van Mariette. Mariette, het meisje dat voor haar in de klas zat en zich overal mee bemoeide. Ze kwam met haar vader de winkel in.

De vader van Mariette was een stevige man met een koffertje en gekleed in een donkergrijs pak. Hij kwam zeker net van zijn werk bij de bank.

'Dag Sara,' zei hij.

Sara maakte een vaag gebaar.

Mariette reageerde niet eens op haar. Ze keek zoekend rond en zag toen waar ze voor gekomen was. Ze trok aan de arm van haar vader en wees naar het mooie schaakspel.

'Kijk, pap. Dat is het. Mooi spel, hè? En het is ook helemaal niet duur. Het is maar vijfenzeventig gulden!'

Sara wilde het liefst gillen dat het spel niet te koop was, dat het van haar was, maar... het schaakspel was helemaal niet van haar.

Ze hoorde Victors vader de winkel in komen en keek hem strak aan, hopend dat hij in haar ogen kon lezen dat hij het schaakspel niet aan Mariette mocht verkopen. Maar Victors vader was te zeer in gedachten verzonken om te zien dat Sara hem iets duidelijk probeerde te maken.

'Goedemiddag. Kan ik iets voor jullie doen?' vroeg hij beleefd.

'Mijn dochter hier vindt dat schaakspel erg mooi. Maar ik weet het niet, het is misschien niet zo geschikt.' Mariettes vader praatte nogal deftig.

'Het is geen wedstrijdspel, als u dat bedoelt.' Victors vader begon de schaakstukken in hun beginpositie te zetten, zodat het er overzichtelijker uitzag.

Mariette pakte de hand van haar vader. 'Dat geeft toch niet, pap.' Ze keek allerliefst.

Sara wist dat ze er niets van meende.

'Het is een prachtig spel, dat geef ik toe, maar ik denk dat zo'n ander spel wat praktischer is. Vooral als je bij een club gaat spelen, Mariette,' zei haar vader.

'Pap, ik wil dit spel!' Mariette stampte op de grond. Er was op slag niets meer van haar liefelijkheid over. Ze griste de witte koningin van het schaakbord.

Sara verstijfde. Ze pakte de koningin!

'Ik wil er nog even over nadenken, Mariette,' zei haar vader.

Victors vader had intussen een gewoon schaakspel gepakt.

'Kijk, dit is een officieel wedstrijdspel.'

'Dat is toch leuk, dan heb je net zo'n spel als die beroemde schakers.' Haar vader was erg enthousiast, maar Mariette draaide zich boos af. Haar schouders schoten tot naast haar oren.

Straks kneep ze de koningin fijn!

Sara voelde de hand van Victors vader op haar schouder, maar het enige wat haar nu interesseerde was de koningin. Mariette moest haar teruggeven!

Mariettes vader leidde zijn dochter met zachte hand naar de deur.

'Ik denk dat we er nog niet helemaal uit zijn, maar u ziet ons nog wel terug,' zei hij. 'Kom, Mariette.' Hij opende de deur.

Sara keek onafgebroken naar Mariettes hand. Straks nam ze haar mee! Ze wilde Mariette tegenhouden.

'Volgens mij heb je nog iets in je hand, Mariette,' zei Victors vader opeens.

De vader van Mariette keek geschrokken.

Mariette zette stuurs de koningin terug. Midden op het schaakbord. Haar vader glimlachte verontschuldigend.

'Dat was je zeker even vergeten... Nou, dag Sara.' Hij knikte naar Victors vader en verliet snel, samen met zijn nukkige dochter, de winkel.

Sara zette de koningin liefdevol op haar eigen plek, naast de koning.

Sara had het boek *Lang leve de koningin* van Victors vader gekregen. Het zat in haar schooltas. Ze drukte de tas tegen zich aan en rende over de dijk naar huis. De zon hing laag en de knotwilgen wierpen grillige schaduwen over de dijk. Op andere dagen zou ze om de schaduwen heen gerend zijn, maar dan had ze de hele middag de tijd. Nu had ze haast. Ze wilde weten of ze genoeg geld in haar spaarpot had voor het schaakspel.

Victor was niet meer uit zijn kamer gekomen.

'Misschien kan Victor morgen niet naar school. Zou jij dan willen komen vertellen wat jullie gedaan hebben?' had Victors vader gevraagd.

'Ik wil nóóit meer naar school!' Sara was er zelf van geschrokken toen ze het zei. Behalve tegen Victor had ze het nog nooit tegen iemand gezegd, zeker niet tegen iemand die veel ouder was. Victors vader wilde nu vast niet meer dat ze nog met Victor speelde...

In plaats daarvan keek hij haar vrolijk aan. 'Ach, jawel. Als je leren weer leuk vindt, dan ren je 's ochtends naar school en als het afgelopen is, vind je het jammer.'

Maar dáár geloofde Sara niets van. Toch wist Victors vader het zeker: 'Kijk maar naar Victor!'

'Ja, Victor... Victor is heel knap.'

'O, en wie zegt dat jij niet knap bent?' Hij keek erbij alsof dat volstrekt idioot was.

De vader van Victor was grappig.

Sara stoof de trap op.

Haar moeder kwam de gang in. 'Wat ben je laat, Saar. Waar was je?'

Sara bleef halverwege de trap staan en zei dat ze bijles kreeg. Ze kreeg wel geen echte bijles, maar ze leerde iets, dus...

'O! Van wie?' Haar moeder was verrast.

'Van de vader van Victor.'

'De vader van Victor? Heeft hij daar tijd voor?'

Sara knikte zo heftig dat ze bijna van de trap viel.

Haar moeder geloofde het. Ze leek het zelfs een goed idee te vinden. 'Nou, dat is fijn, hè. Dan haal je misschien weer snel goeie cijfers op school.'

Sara knikte braaf en rende verder, naar haar slaapkamer.

De spaarpot, een groot roze varken met een rubberen dop in zijn buik, zat vol met dubbeltjes, kwartjes en guldens. Sara begon te tellen, maar ze raakte steeds de tel kwijt. Ze moest de hele tijd aan het schaakspel denken.

8

Het was avond, even na zevenen en Sara had samen met haar moeder en grootvader in de huiskamer gegeten. Ze ging naast grootvader op de bank zitten. 's Avonds keken ze meestal even naar de televisie.

Haar moeder liep met een dienblad naar de keuken. Sara hoorde dat ze in de gang begon te zingen.

Op de televisie deed een bekende presentator verslag van het Westeinde-schaaktoernooi, een schaaktweekamp die niet ver van hen vandaan gehouden werd. De verslaggever vertelde over een mysterieuze Zuid-Afrikaanse schaker die opviel door bijzonder spel. Hij was een serieuze tegenstander voor de Nederlandse schaker Tom de Ruyter.

'Als het goed is komen de schakers nu naar ons toe,' zei de verslaggever.

Tom de Ruyter verscheen in beeld. Hij keek olijk in de camera.

'Hoe ging het vandaag, Tom?'

Tom de Ruyter trok een moeilijk gezicht. 'Tja, wat zal ik zeggen?'

'Heel slecht, kan je zeggen! Dat stond in de krant,' zei Sara's grootvader nog voor Tom de Ruyter kon antwoorden.

Sara lachte. Opa praatte wel vaker tegen de televisie.

'Bob Hooke speelde onverwacht sterk. Onderschatte je hem misschien een beetje?' De verslaggever richtte de microfoon naar Tom de Ruyter voor een reactie.

Sara pakte de sportbijlage. Als opa hem uit had mocht ze de plaatjes eruit knippen. Haar moeder las hem toch nooit.

Op de televisie verscheen nu Bob Hooke.

Op dat moment kwam haar moeder zingend de kamer in. Ze bleef staan en hield abrupt op.

Sara keek op, naar de televisie, en toen zag ze hem. Ze wist het meteen.

'Kom Saar, naar bed.' Haar moeder klonk dwingend.

Op de televisie was Bob Hooke aan het woord. Hij sprak Zuid-Afrikaans, maar deed het zo rustig en duidelijk dat het toch goed te verstaan was.

'Mag die televisie uit?' vroeg Sara's moeder geprikkeld.

Ze kreeg geen antwoord. Sara en haar grootvader keken naar Bob Hooke die vertelde dat hij na dit toernooi weer terugging naar Zuid-Afrika.

Toen greep Sara's moeder de afstandsbediening en deed met een kordaat gebaar de televisie uit.

Grootvader keek verbaasd op. 'Hé, wat doe je nou?'

Sara werd door haar moeder omhooggetrokken: 'Kom, naar bed!' Ze kon nog net de sportbijlage meepakken.

Even later lag Sara in bed. De slaapkamer was donker. Haar moeder had haar een kus gegeven en gezegd dat ze meteen moest gaan slapen. Maar Sara kon niet slapen.

Ze deed haar kleine bedlampje aan en bladerde door de sportbijlage. Op de laatste pagina stond een foto van de schaker die Bob Hooke heette en uit Zuid-Afrika kwam. Sara knipte de foto uit, stopte hem onder haar nachtjapon en kroop uit bed.

Behendig de krakende planken ontwijkend, sloop ze over de gang.

Vanuit grootvaders kamer, beneden, klonk muziek. Sara ging haar moeders slaapkamer binnen. Ze luisterde. Ze dacht voetstappen op de trap te horen. Maar haar moeder liep door de gang, beneden. Even later klonk het geluid van tegen elkaar botsende pannen.

Zonder ook maar het minste geluid te maken opende Sara de reiskist. Ze pakte de ritselende envelop met de stempels en haalde voorzichtig de krantenfoto vanonder haar nachtjapon tevoorschijn.

Sara legde de foto uit de envelop naast de krantenfoto.

De man die samen met haar moeder voor het grote schaakbord stond en een arm om haar moeders schouder had geslagen was, dezelfde man als op de krantenfoto. Het was de Zuid-Afrikaanse schaker Bob Hooke.

De volgende ochtend rende Sara zo hard ze kon naar de winkel van Victor. Het geld rammelde in haar spaarpot. Als Mariettes vader het schaakspel maar niet al gekocht had!

Er waren weinig mensen op straat. Sara zag de winkel al van verre. Hijgend bereikte ze de deur. Ze wilde hem openduwen, maar zag toen het bordje GESLOTEN hangen. Wat gek! Waarom was de winkel nog niet open? Misschien waren ze nog achter.

Sara begon aan de deur te trekken en keek naar binnen. Er verscheen niemand.

Ze zag het schaakspel in de etalage. De koningin stond roerloos op haar witte tegel.

Sara bleef wachten, totdat ze de klok hoorde slaan en ze naar school moest.

Victor was niet op school. Sara begreep dat hij nog ziek was.

Omdat ze steeds aan de koningin moest denken, pakte ze het boek *Lang leve de koningin*. Ze sloeg het open en bekeek de plaatjes. Ze zorgde er natuurlijk wel voor dat de meester niet zag wat ze deed. Toen ze aardrijkskunde moesten doen, schoof ze het boek meteen onder haar grote atlas. Maar bij het opzoeken van de kaart van Friesland gaf ze er per ongeluk een duw tegen, waardoor het van tafel gleed en met een klap op de grond belandde.

Net op dat moment liep de meester langs. Hij pakte haar boek op, nam het mee, en legde het op zijn tafel.

De rest van de les kon Sara alleen nog maar naar haar boek op de tafel van de meester kijken.

De les was afgelopen. Bijna alle kinderen waren naar buiten. Sara liep aarzelend naar de meester toe. 'Mag ik mijn boek terug, meneer?'

Sara's meester pakte *Lang leve de koningin* en bekeek het nu aandachtig.

'Dus jij bent schaken aan het leren!'

Sara zei niets. Straks kreeg ze het nooit meer terug.

'Het is een moeilijk spel, met veel regels, Sara. Ik denk dat jij je tijd beter kunt besteden. Je had je schoolwerk trouwens weer niet gemaakt.' De meester klonk vermoeid.

Mariette kwam erbij staan. Gelukkig zag ze het boek niet, anders had ze zeker de koningin herkend.

De meester verwachtte een reactie, maar Sara zweeg. Mariet-te verbrak de stilte.

'Meneer, mijn vader gaat vandaag een heel mooi schaakspel voor me kopen. Gaat u ons weer schaakles geven?'

De meester gaf elk jaar schaakles aan de beste leerlingen van zijn klas. Hij hield erg van schaken omdat het een leuk, maar ook nuttig spel was. Het scherpte je geest. Bijna al zijn vrije tijd besteedde hij eraan, vooral sinds hij voorzitter was van de grootste schaakclub in het dorp.

'Ja, daar wil ik maandag mee beginnen,' zei hij afgemeten.

Sara kreeg buikpijn. Straks had Mariettes vader het schaak-spel gekocht!

De meester schoof eindelijk haar boek naar haar toe.

'Ik verwacht dat je maandag de tafel van twaalf kent, Sara.' Zijn stem klonk streng.

Sara griste het boek van de tafel en rende de klas uit.

Het regende terwijl Sara's voeten over de stoeptegels sprongen. Ze kon hier en daar een plas ontwijken, maar soms was de plas te groot en belandde ze er middenin.

Ze was drijfnat toen ze in de straat kwam waar de winkel van Victors vader was. De winkeldeur ging open en de vader van Mariette kwam naar buiten. Hij bleef voor de etalage staan, zodat ze niet kon zien of het schaakspel er nog stond. Wat ze wel zag, was dat hij een groot pak onder zijn arm had.

Het schaakspel!

'Dag Sara! Ben je hier ook weer?' hoorde ze hem vragen.

Haar hart bonkte. Ze antwoordde niet.

De vader van Mariette opende zijn paraplu en liep snel verder, het pak stevig onder zijn arm geklemd.

Sara keek hem na.

Pas toen hij de straat uit was, draaide ze zich om naar de etalage. Er stond vast alweer wat anders op de plek van het schaakspel...

Ze deed een stap naar voren.

Het stond er nog!

Er was een bordje bij gezet met VERKOCHT.

9

Sara had niets aan het boek *Lang leve de koningin* zonder het bij-
behorende schaakspel, vond Victors vader. Hij was die ochtend
met zijn zoon naar de dokter geweest en daarna hadden ze samen een bordje met VERKOCHT gemaakt en dat bij het schaakspel gezet.

Sara trok de rubberen dop uit de buik van haar spaarvarken
en schudde het geld eruit op de tafel. De vader van Victor begon te tellen. Hoewel Sara er met haar neus bovenop stond, wist
ze toen hij klaar was, nog steeds niet of het eigenlijk wel genoeg was. Ze keek hem gespannen aan.

Gelukkig zei Victors vader dat het meer dan genoeg was, ze
hield zelfs nog wat over.

Het schaakspel was nu van haar! Sara rende er meteen naartoe. Ze stopte de schaakstukken voorzichtig in de paarse fluwelen zak die bij het schaakspel hoorde.

'Zo, ga nu maar even slapen, hoor. Straks haal ik jullie er
weer uit,' fluisterde ze.

Victors vader glimlachte toen hij zag hoe zorgvuldig Sara
met het schaakspel omging. Hij wilde niet dat ze ervoor betaal-
de. Die ochtend was hij al van plan geweest het haar te geven.
Hij stopte drie briefjes van vijfentwintig in haar spaarpot en
deed hem in haar schooltas.

Victor lag in bed. Hij sliep. Zijn vader vertelde dat de dokter nog
niet wist wat er met hem aan de hand was. Volgende week zouden ze de uitslag krijgen van de testen die ze die ochtend gedaan hadden.

Toen Victor even later wakker werd, ging Sara met haar
nieuwe schaakspel naar hem toe. Ze rende door de gang, maar
liep voorzichtig zijn kamer in.

Victor zat rechtop in zijn bed.

'Ah, je hebt het schaakspel gekocht,' zei hij.

Sara knikte blij.

'Dan kan je nu ook thuis schaken...'

Sara knikte weer.

'Hoe was het op school?' vroeg Victor.

'Ik moet de tafel van twaalf leren.' Ze trok een vies gezicht.

'De tafel van twaalf is leuk. Eén één twee, één twee. Twee één twee, twee vier, drie één twee, drie zes,' zong Victor enthousiast.

Sara moest lachen. Eigenlijk vond ze dat nog het grappigste aan Victor: dat hij zo blij kon kijken bij dingen die haar afschuwelijk leken.

'Kijk!' Hij schreef de tafel van twaalf op.

$1 \times 12 = 12, 2 \times 12 = 24, 3 \times 12 = 36$.

'Je moet alleen de cijfers voorlezen' verduidelijkte hij en hij wees de getallen aan. 'Eén één twee, één twee. Twee één twee, twee vier. Drie één twee, drie zes...'

Opeens begreep Sara het. Alleen na vijf keer twaalf werd het wat moeilijker, maar ook dat was leuk. Het leek wel geheimtaal. Ze herhaalde het een paar keer. Na een tijdje wist ze de getallen uit haar hoofd en kende ze zonder het zelf door te hebben de tafel van twaalf.

Sara wilde niet dat haar moeder het schaakspel zag en dus liep ze toen ze thuiskwam meteen naar haar kamer en schoof het onder haar bed.

'Hoi Saar,' riep haar moeder vanuit haar slaapkamer. Ze stond zich te verkleden; dat deed ze altijd als ze van haar werk kwam. 'Was het leuk op school?'

Sara liet zich op het grote bed ploffen.

'Lukt het met je bijles?'

Sara maakte een vaag gebaar.

Haar moeder ging bij haar op bed zitten. 'Weet je wie er vandaag in de kapperswinkel was?'

Sara schudde haar hoofd.

'De moeder van Mariette.'

Sara keek alsof ze een zure appel at.

'Jij gaat nooit bij Mariette spelen, hè? Vind je Mariette niet zo aardig?'

'Nee...'

'Jammer.'

'Ze bemoeit zich overal mee en ze vindt mij stom.'

'Vindt ze jou stom? Is ze nou helemaal gek geworden?' Haar moeder keek verontwaardigd.

'Ja, ze is helemaal gek geworden,' zei Sara vrolijk.

Haar moeder lachte. 'Weet je waar ik nu echt zin in zou hebben, Saar? Om samen met jou een tijdje weg te gaan.'

Sara knikte, maar luisterde niet echt. Ze dacht aan de foto van haar moeder met de Zuid-Afrikaanse schaker.

Haar moeder liep naar de badkamer.

'Maar ik kan de winkel niet zomaar alleen laten,' zei ze, 'en jij hebt nu trouwens ook geen vakantie. Jammer hè?'

'Mam, kan jij Zuid-Afrikaans spreken?'

Haar moeder propte vuile was in de wasmand en leek haar niet te horen. Sara vroeg het nog een keer.

Toen antwoordde haar moeder luchtig dat Zuid-Afrikanen Nederlands spraken met een vreemd accent. Met van die rare uithalen.

'Hoe?'

Ze kwam met de wasmand de kamer in.

'Ik spreek nie Afrikaans!'

'Welles!'

'Nietes!'

'Welles!'

Sara's moeder begon onder haar door het bed af te halen. Sara liet zich omrollen. Ze giechelde.

'Mam, kan jij schaken?' vroeg ze toen opeens.

'Ik kan het wel, maar ik vind het niet leuk. Ik vind het tijdverspilling.'

Tijdverspilling?

Sara keek naar het armbandje dat haar moeder om haar pols

droeg. Het kwam uit Zuid-Afrika. Misschien had haar moeder het wel van hem gekregen.

De studeerkamer van Sara's grootvader was tot de nok toe gevuld met boeken. Atlassen, boeken met plaatjes van kunst- en gebruiksvoorwerpen uit vreemde landen, en geschiedenisboeken. Sara vroeg hem of hij ook een boek over Zuid-Afrika had.

Grootvader moest even nadenken, maar toen wist hij het weer. Enthousiast – hij vond het altijd leuk als zijn boeken van pas kwamen – beklom hij een trapje en pakte van boven op de kast een heel groot en zwaar boek. Het was zo zwaar dat Sara het niet eens kon dragen. Grootvader legde het voor haar op zijn bureau.

Sara sloeg het open. Het was een prachtig boek met veel kleurenfoto's, landkaarten en tekeningen. Er was ook een gedeelte gewijd aan Zuid-Afrikaanse sieraden.

De meeste armbanden waren van metaal, maar Sara bekeek ze allemaal. Tussen allerlei kleurige oorbellen en halskettingen ontdekte ze een kralen armband die leek op die van haar moeder. Ze pakte een vergrootglas. Het armbandje was niet precies hetzelfde, want het had andere kleuren, maar het leek er bijzonder veel op.

'Kijk, mama's armbandje,' zei Sara en ze wees met het vergrootglas naar de foto in het boek.

Sara's grootvader boog zich naar haar toe.

'Wat heb je daar?'

Sara wees naar het armbandje. 'Het lijkt op mama's armbandje, hè?'

Haar grootvader nam het vergrootglas over.

Sara probeerde ook nog wat te zien. 'Dat van mama heeft andere kleuren, hè opa?'

'Ja, heel andere kleuren. Eens kijken... O, hier staat wat.' Hij begon te lezen.

'Wat staat er, opa?'

'Dat er van zulke armbandjes altijd maar twee zijn!'

'Maar twee?' Sara werd nog nieuwsgieriger.

'Ja. Mensen laten het speciaal maken voor degene waar ze van houden. Meestal geeft een man het aan een vrouw,' las haar grootvader.

'Heeft mama het dan ook van een man gekregen?'

'Dat denk ik wel, ja.'

'Van wie dan?'

Sara's grootvader sloeg de bladzijde om, om te zien of er nog meer stond. 'Dat weet ik niet, Saar.'

'Van mijn papa?'

Nu hield grootvader op met bladeren. 'Ja, dat zou kunnen.'

'Mama heeft het altijd om, hè?'

Grootvader knikte. 'Ja, want er staat hier dat als je het afdoet, het betekent dat je niet meer van de ander houdt. Het is eigenlijk een soort trouwring.'

Sara keek haar grootvader vragend aan.

'Maar houdt mama dan nog steeds van mijn papa?'

'Misschien!' Grootvader pakte de brieven die hij aan het lezen was weer op.

Sara bleef geboeid naar de foto van de armband kijken.

'Misschien heeft mijn papa het ook nog om,' fluisterde ze.

Op haar slaapkamer bekeek ze de krantenfoto's die ze intussen van Bob Hooke had verzameld. Elke dag stond er wel iets in de krant over het Westeinde-schaaktoernooi. Maar op geen enkele foto was te zien of hij een armbandje droeg. Zijn mouw hing over zijn pols of zijn pols was buiten beeld of hij was te ver weg. Ze plakte de krantenfoto's in haar plakboek. Vanaf dat moment was het plakboek geheim.

10

62 Sara hoefde niet naar school. Het was zondag. Gisteren had ze de hele dag, terwijl haar moeder aan het werk was, met het schaakspel gespeeld. Ze had wel tien keer alle stukken in de beginpositie gezet en in het boek gekeken of ze het goed deed. Elke keer deed ze het goed.

Nu zat ze op haar bed en las ze verder.

De koning wou voorgelezen worden, maar hij lag met zijn hoofd onder de dekens, alleen zijn slaapmuts piepte eronder vandaan. De koningin dacht aan het spannende spel dat ze voor hem aan het verzinnen waren. Maar ze mocht het nog niet vertellen, niet voordat het helemaal af was.

'De ijskoningin ging nooit naar buiten, zeker niet als de zon scheen.' Ze las het zo spannend mogelijk voor.

Er kwam geluid onder de dekens vandaan.

De koningin hield op met lezen.

'Ik versta er niets van,' murmelde de koning.

De koningin glimlachte. 'Dan moet je ook niet onder de dekens gaan liggen.'

'Ik kan niet boven de dekens komen. Het stinkt!' riep de koning terug.

'O, maar dan zetten we toch even een raam open.' Ze stond meteen op. Nog voor ze het raam open kon doen, schoot de koning omhoog en sloeg woest de dekens weg.

De koningin schrok ervan.

'Nee, niet doen!' brieste de koning.

'Wat is er?'

'Als je de ramen openzet gaat het hier nog meer stinken. Het stinkt naar bloemkool.'

De koningin stak haar neus in de lucht en snoof. 'Ik ruik niets!'

'Wel waar. De zwarte koning kookt de hele dag bloemkool en dan gaat het hier stinken. Weet je...' Hij keek de koningin ernstig aan. 'Ik vind het een bijzonder goede reden om oorlog te voeren. We hebben wel eens mindere gehad.'

'Ik ruik helemaal niets,' zei de koningin. 'En stank of geen stank: er is absoluut geen reden om oorlog met onze buurtjes te voeren. Het zijn keurige mensen.'

'Het zijn helemaal geen keurige mensen. Ze willen altijd winnen. Het is toch onbeschoft om altijd te willen winnen?'

Als er iemand altijd wou winnen, was het de koning zelf wel, dacht de koningin. Ze raakte zo vertederd dat ze weer bij hem ging zitten.

'Zal ik je iets verklappen?'

'Nee!' De koning dook weg.

'Over een paar dagen mag je oorlog voeren!' zei ze. Ze bedoelde natuurlijk het spel.

De koning piepte onder zijn deken vandaan en keek haar ongelovig aan. 'Echt? Met mijn soldaten en paarden?'

De koningin knikte. 'Iedereen. Zelfs je torens op wielen mogen meedoen!'

De koning wist niet wat hij hoorde. Hoe kon zij nou weten van de torens op wielen? Ah... de raadsheer! Die had het haar zeker verteld. De koning glunderde.

'Knappe uitvinding hè?'

'Ja, ontzettend knap. Vooral omdat nog niemand anders het bedacht heeft.'

Gelukkig was de koning veel te blij om door te hebben dat ze hem plaagde. Opeens vroeg hij: 'Enne... wanneer ga ik dan oorlog voeren?'

O jeetje, dacht de koningin. Wat heb ik nou weer gezegd, het spel is nog helemaal niet af!

'Over... eh... twee dagen,' stamelde ze. Ja, twee dagen moesten genoeg zijn om het spel af te maken.

De koning dook zijn koninklijke bed weer in.

'Nou, dan ga ik alvast slapen, want dan is het sneller over twee dagen.' Hij kroop diep onder de dekens. Al snel galmde er luid gesnurk door het slaapvertrek.

De koningin rende de binnenplaats op. O, o, wat was ze dom geweest. Ze had de koning beloofd dat hij oorlog mocht voeren!

De hofdame, die weer volkomen verdiept was in haar borduurwerk, prikte zich opnieuw in haar vinger. 'Echt oorlog? Nee toch?'

'Nee, natuurlijk niet. Het spel! Roep gauw iedereen bij elkaar!' De koningin was doorgaans de rust zelve, maar nu niet.

Het buurkoningspaar, de zwarte koning en zijn vrouw, en hun gevolg kwam in allerijl naar het paleis. Ze hadden er echt zin in.

'Wil iedereen in de beginpositie van het spel gaan staan?' vroeg de witte koningin.

Ze begonnen door elkaar te lopen en vochten om de beste tegels. De paarden gingen wild trappelend naast elkaar staan en de torens stelden zich op in het midden.

De koningin herkende niets van wat ze de vorige keer hadden afgesproken. Ze wenkte de raadsheer. Hij had gelukkig alles opgeschreven.

De raadsheer bladerde nerveus door zijn aantekeningen. Een van de blaadjes viel op de grond. De hofdame, die net langsliep, pakte het op.

'Als de wind waait en de haan kraait,' las ze hardop.

'Ah! U bent een dichter!' zei de koningin verrast.

De raadsheer kreeg een kleur. 'Ach, zo hier en daar een kattebelletje.'

'Maar waar zijn uw aantekeningen van de vorige keer?' De koningin werd nu toch echt een beetje ongeduldig.

'Ik ben bang dat...' hakkelde de raadsheer.

'Fraai is dat!' Ze begreep dat de raadsheer ze kwijt was.

De raadsheer voelde zich schuldig. Maar hij wist het nog

wel, dacht hij en vol goede moed begon hij iedereen een plek
te wijzen. De paarden moesten achter elkaar staan, de soldaten in een cirkel en de torens belandden aan de zijkant. Kort-
om: het werd een rommeltje.

De koningin was radeloos. Ze keek naar haar hofdame. Wist
zij het nog?

Natuurlijk wist ze het nog.

'Stond ik niet in het midden?' zei ze gewichtig.

In het midden? De koningin schudde haar hoofd. Ze kon wel
huilen. Ze konden niet eens onthouden waar iedereen
moest staan. Zo kwam het spel nooit af en dan... en dan... ja,
dan ging de koning oorlog voeren.

En toen klonk er een stemmetje.

De koningin had dat stemmetje eerder gehoord, maar nog
nooit in het koninkrijk. Ze gebaarde dat iedereen stil moest
zijn.

Alle aanwezigen luisterden aandachtig.

Ja, daar klonk het weer.

'Koningin, ik weet het nog!'

De koningin keek om zich heen. Waar kwam die stem vandaan?

Boven aan de trap, op het grote bordes, zat een klein meisje. Ze was gekleed in een nachtjapon, haar blote voeten bungelden over de rand van het bordes en haar blonde haar hing los over haar schouders.

De koningin herkende haar direct. Ze had het meteen een bijzonder leuk kind gevonden, met haar grote donkere ogen. Ze liep naar haar toe.

'Hoe heet jij?' vroeg ze hartelijk.

'Ik heet Sara.'

En inderdaad – het was Sara die daar ineens op het bordes in het koninkrijk zat! Ze keek onwennig om zich heen. De koningin was nog mooier dan anders, en ook veel groter. Ze was bijna net zo groot als haar moeder. Iedereen trouwens, ook de hofdame en de raadsheer.

Sara begreep niet hoe ze in het koninkrijk terecht was gekomen maar dacht er niet lang over na. Eng was het in ieder geval niet, want iedereen keek haar vriendelijk aan.

De koningin was ontroerd.

'Sara... wat een prachtige titel!' zei ze. 'En jij weet echt waar iedereen moet staan?'

Sara knikte. Ze had het die middag nog geoefend.

Sara's blote voeten trippelden over de binnenplaats. Het was belangrijk dat de koninkrijken langs de juiste zijden van de binnenplaats opgesteld stonden. In de linkerhoek moest een zwarte tegel te zien zijn, anders kon de witte koningin nooit én links van de koning én op een witte tegel staan.

Toen Sara de zwarte tegel in de hoek ontdekte, hoefde ze niet verder na te denken. Zonder aarzeling wees ze iedereen zijn plaats. De witte koningin op haar witte tegel en rechts naast haar de koning op zijn zwarte tegel. Naast de koning de raadsheer en naast de koningin de hofdame, en dan dáárnaast weer de paarden. Op de hoeken de torens, en op de rij ervoor de soldaten.

ZWART

WIT

Aan de overkant moest het zwarte rijk zich net zo opstellen, alleen stond de zwarte koningin op een zwarte tegel.

Nu herinnerde de witte koningin zich alles weer. Ze kon wel dansen van plezier, en omdat er in de verte muziek klonk deed ze het ook. Alle aanwezigen dansten vrolijk met haar mee. Zelfs de raadsheer maakte een rondedans. Zo blij was hij dat de koningin niet boos was dat hij zijn aantekeningen was kwijtgeraakt.

De koningin boog zich naar Sara toe. 'Wat ben jij een knap kind. Dank je wel!'

Het was misschien een droom, maar Sara glimlachte echt.

11

♔ De zwarte koning en koningin stonden dicht tegen elkaar aan. De lakei die voor koning speelde voelde of zijn kroon recht zat, en Sara zat op de brede trap. Ze keek naar de onderdanen van beide koninkrijken, die keurig in de beginpositie opgesteld stonden.

'Dus het heet schaken,' zei de koningin. Sara had haar dat net verteld. 'Dat zal de koning vast een prachtige naam vinden. Fijn dat jij het spel kent, dan kun jij het ons uitleggen.' Ze ging tevreden zitten, klaar om alles uitgelegd te krijgen.

Sara hield haar adem in. 'Maar ik kan helemaal niet schaken,' zei ze schuchter.

'O... Dat is nou weer jammer.'

De koningin had gehoopt in één klap klaar te zijn, maar dat was te mooi om waar te zijn. Toen ze zag dat Sara zich schaamde, boog ze zich geruststellend naar haar toe. 'Het is helemaal niet erg, hoor. We verzinnen het gewoon zelf.'

De koningin liep met frisse moed naar het midden van de binnenplaats. Intussen probeerde ze zich te herinneren waar ze gebleven waren. Iedereen dacht hard mee, maar Sara was de enige die het wist.

'De koning mocht maar één stap en dat was grappig,' zei ze met haar heldere kinderstem.

'En ik mocht juist heel ver,' riep de koningin, blij dat ze het nu ook weer wist. De hofdame moest lachen. 'Ja, dat was héél grappig.'

'Nou, ontzettend grappig!' De raadsheer begon zich alweer te ergeren.

'Zeg, wat zullen wij doen?' De hofdame wilde heel graag weten welke rol zij in het spel ging spelen. Ze verheugde zich er al die tijd al op.

'Als u maar niet denkt dat ik over de zwarte tegels ga,' zei de raadsheer snel.

De koningin keek hem verwonderd aan. 'Maar dan kunt u alleen maar schuin!'

'Ja, nou ja,' zei hij korzelig, zich te laat realiserend wat hij gezegd had.

'Goed, dat is dan afgesproken. Jullie mogen alleen schuin.' De koningin keek tevreden naar Sara.

'Maar we mogen wel zover we kun- nen!' zei de hofdame. Anders vond ze het een beetje karig.

De koningin knikte en toen was de hofdame tevreden. Ze begon opgewekt haar pas te oefenen. Trippelend op haar scherpe hakjes dwarrelde ze over de binnenplaats.

De witte raadsheer keek naar de zwarte hofdame, die net als hij over witte tegels liep. Ze passeerde hem koket. 'Ik mag dus iedereen die op een witte tegel staat gevangennemen,' zei hij bedachtzaam.

De witte koningin keek naar Sara. 'Wat vind jij?'

Het leek Sara een goed idee.

De zwarte hofdame, die veel minder streng was dan de witte hofdame, kirde bij het idee.

De witte raadsheer grijnsde even en spiedde om zich heen. Eens zien, wie kon hij allemaal gevangennemen? Ah! De zwarte koning stond op een witte tegel!

'Ik kan dus ook de zwarte koning gevangennemen, als hij op een witte tegel staat!' constateerde hij verheugd.

De koningin aarzelde, maar Sara wist het zeker.

'Ja, u mag iedereen die op een witte tegel staat gevangennemen. De paarden en de torens en de soldaten en ook de zwarte koning.'

'Wat ben je toch knap!' fluisterde de witte koningin Sara in haar oor.

Zelfs de witte raadsheer moest toegeven dat het werkelijk een heel aardig spel werd.

Alleen vond de zwarte koning er nu ineens niets meer aan. Hij wilde onmiddellijk weglopen, maar zijn vrouw hield hem tegen. Ze legde uit dat de witte koning óók gevangengenomen kon worden.

Het was maar goed dat de zwarte koningin het zo goed begreep, anders was de zwarte koning vertrokken en was er nooit een spel dat schaken heet ontstaan!

De paarden sprongen naar voren. Ze hadden met zijn vieren vergaderd – daar waren ze uitzonderlijk goed in – en een wijs besluit genomen, al zeiden ze het zelf.

De zwarte merrie Kim mocht het woord doen.

'Wij hebben eens goed nagedacht,' begon ze, 'want kijk, als paard heb je ook je verantwoordelijkheid en ik zou niet willen dat jullie dachten dat wij niets wilden doen.

De raadsheer werd alweer ongeduldig, maar de koningin ging er eens goed voor zitten en luisterde aandachtig.

'We zouden willen voorstellen – en nu komt het. Wij vinden het zelf verbluffend slim en onverwacht.' Het paard was duidelijk trots. De koningin werd echt benieuwd; de paarden hadden haar nog nooit in de steek gelaten.

Het witte paard Karel maakte het verhaal af: 'Wij gaan recht, maar ook schuin!'

Zo! Dat was nog eens een verrassing. Karel keek triomfantelijk om zich heen.

'Kijk, al die rechte lijnen maken het voor het vijandelijke front nogal makkelijk om te zeggen waar iemand heen gaat. Als wij nu een beetje vreemd doen, dan zijn we wat minder voorspelbaar.'

'Jullie kúnnen niet eens normaal springen!' zei de raadsheer venijnig. De koningin keek hem streng aan.

De raadsheer wendde zijn hoofd af. Die idiote paarden waren het hele spel aan het verpesten.

De koningin lette verder niet op hem en keek weer naar de paarden. 'Dus jullie gaan eerst recht en dan schuin?'

'Ja, of eerst schuin en dan recht.'

'Of twee naar voren en één opzij. Net hoe je het wil zien,' verduidelijkte paard Kees.

De koningin keek naar Sara. 'Begrijp jij het?'

Sara dacht dat ze het wel begreep.

'Zullen we het even voordoen?' vroegen de paarden in koor.

'Ja, graag,' zei de koningin opgelucht.

Je kon zien dat ze het goed hadden ingestudeerd. Ze gingen precies tegelijk van tegel naar tegel. Het zag er bijzonder ingewikkeld uit, maar ook vrolijk. De paarden keken er heel ernstig bij.

Sara moest lachen.

De paarden telden en sprongen en telden en sprongen.

'Zo kunnen we op de zwarte vlakken komen, maar ook op de witte.'

Het was inderdaad verdraaid moeilijk om te zeggen waar die malle beesten heen gingen. Dat zou nog wel eens handig kunnen zijn, dacht de raadsheer.

De paarden waren net klaar met hun demonstratie toen de witte en de zwarte torens met veel geraas over de binnenplaats aan kwamen denderen. Ze stopten precies tegelijk, naast elkaar, en vormden zo een muur.

Sara, die naast de koningin op de trap zat, vond het een mooi gezicht.

De hofdame leek al te weten wat de torens in het spel gingen

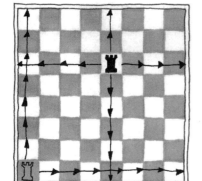

doen. Ze keek ondeugend en zei: 'Nou, dat was recht vooruit.'

De koningin knikte glimlachend.

De torens, die niet doorhadden dat ze een beetje in de maling genomen werden, schoven enthousiast en precies tegelijk opzij. 'Ja, maar kijk! Dit kunnen we ook!'

De koningin vond het prachtig. 'Dus jullie gaan recht vooruit of recht opzij.'

De hofdame keek de koningin grijnzend aan. 'Ze kunnen vast ook wel recht achteruit.'

Hier waren de torens het helemaal mee eens. 'Precies. Dank u. En we gaan zover we kunnen,' zeiden ze enthousiast.

De koningin had het gevoel dat het spel nu echt vorm begon te krijgen. 'Dank jullie wel.' zei ze.

Nu hoefde de koningin alleen nog iets te verzinnen voor de soldaten.

'Zeg, kunnen we een dobbelsteen niet laten bepalen hoever die types mogen?' vroeg de hofdame. Ze was niet zo dol op de soldaten. Daarom noemden ze hen 'die types' en keek ze er nogal zuinig bij.

Maar Sara wilde geen dobbelsteen. Met een dobbelsteen moest je geluk hebben en dat had ze niet zo vaak.

Nog voor de koningin antwoord kon geven, stormden de soldaten beledigd de binnenplaats op. Ze hadden gehoord wat de hofdame zei.

'Wij weten echt zelf wel hoever we kunnen.'

De koningin knikte. 'Ze hebben gelijk. Ik wil geen dobbelsteen bij dit spel. Je weet dat de koning daar altijd vals mee speelt.'

De hofdame dacht terug aan de dobbelsteen met alleen maar zessen. Ze knikte. Inderdaad, het was beter zonder dobbelsteen.

De soldaten stelden zich tegenover elkaar op. 'Wij zijn krijgers die de vijand gevangen gaan nemen. We hebben haast!' Precies tegelijk sprongen ze in de houding – het zag er indrukwekkend uit – en deden een grote stap naar voren, wel twee tegels ver. Ze stonden zo dicht tegenover elkaar dat de neuzen van de zwarte en de witte soldaten elkaar bijna raakten. Ze schrokken er zelf van.

Soldaat Cicero, de witte soldaat die altijd te laat was en helemaal niet van vechten hield, vond dat hij veel te snel bij de vijand was zo. En soldaat Dirk was het gloeiend met hem eens. Maar de anderen, vooral Eduard, die zich de leider voelde, zeiden dat de linies zo snel mogelijk naar voren moesten omdat de koning anders ongeduldig werd. Alle soldaten begonnen door elkaar te praten.

'Zie je wel. Die soldaten kunnen niets, laat staan een beslissing nemen,' zei de hofdame. De soldaten waren zo heftig aan het kibbelen dat ze er hoofdpijn van kreeg.

Het werd tijd om in te grijpen.

De koningin blies op haar vingers.

De soldaten waren meteen stil.

'Laten we afspreken dat jullie bij de eerste zet twee stappen naar voren mogen. Het hoeft niet; je mag ook één stap doen. Maar als je eenmaal verplaatst bent, mag je nog maar één stap. Is dat duidelijk?'

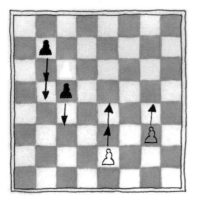

De soldaten fronsten hun wenkbrauwen. Pfff, wat ingewikkeld!

'Dus alleen de eerste keer mag je twee stappen, daarna niet meer, daarna mag je er nog maar één,' verduidelijkte de hofdame. Haar koningin was erg knap, maar uitleggen was niet haar sterkste kant, vond ze.

De soldaten knikten nu heftig. Ze begonnen direct te oefenen.

Opeens vroeg de hofdame zich iets af.

'Waarom mogen die soldaten in het begin eigenlijk twee stappen? Eentje is toch wel genoeg?'

'Nee, natuurlijk niet. Het is juist handig als de soldaten twee stappen naar voren kunnen. Het duurt anders veel te lang voordat wij eruit kunnen.'

De hofdame was diep onder de indruk. Soms kon haar koningin zo verschrikkelijk slim zijn, het was bijna ongelooflijk.

De raadsheer vond dat het spel nogal ingewikkeld begon te worden. Hij wist zeker dat Sara ook de draad was kwijtgeraakt, net als hij.

Maar Sara wist precies wat er bedacht was: de koning die één stapje mocht en de koningin die zover kon gaan als ze wilde en de raadsheer en hofdame die alleen maar schuin gingen en de paarden die raar sprongen – ja, de paarden waren grappig.

Dan had je nog de torens, die waren ook heel makkelijk. Alleen de soldaten waren een beetje ingewikkeld, maar ook weer niet echt want de koningin had gelijk: als de soldaten maar één stapje naar voren gingen in het begin, dan duurde het veel te lang voordat de rij erachter eruit kon.

In Sara's slaapkamer viel maanlicht naar binnen. De schaakstukken stonden over de vloer verspreid en ertussen lag Sara. Ze lag diep en tevreden te slapen.

12

Het was maandagochtend. Sara zat in de keuken. Ze repeteerde de tafel van twaalf, terwijl haar moeder het ontbijt klaarmaakte.

'Eén één twee één twee. Twee één twee, twee vier. Drie één twee, drie zes.' Ze hoefde geen enkele keer in haar schrift te kijken.

'Wat doe je?' vroeg haar moeder.

'Ik ben de tafel van twaalf aan het leren.'

Haar moeder zette een boterham met jam voor haar neer.

Sara schraapte de jam meteen met haar mes van de boterham af.

'Ook het brood eten, Saar.'

Sara knikte; daardoor gleed een grote kledder jam die net onderweg was naar haar mond van het mes en belandde in haar schrift.

'De tafel van twaalf?'

Sara's moeder begreep er niets van.

'Ja, kijk maar. Eén één twee, één twee.' Sara wees naar 1x12=12. 'Twee één twee, twee vier.' Nu wees ze naar 2x12=24.

'Tjeetje, wat ingewikkeld!' Na lang turen begreep haar moeder eindelijk dat Sara alleen de cijfers oplas.

'Nee hoor. Het is heel makkelijk. Ik heb het van Victor geleerd.' Sara probeerde met een punt van haar jurk de vlek in haar schrift weg te poetsen.

'Niet met je jurk, Saar,' zei haar moeder. Ze gaf haar een theedoek. 'Ik vind één keer twaalf is twaalf, twee keer twaalf is vierentwintig, veel makkelijker.'

'Maar wel minder leuk.' Sara liet de theedoek zakken. De vlek zat er nog steeds.

Voor het eerst in haar leven was Sara niet bang dat ze in de klas een beurt zou krijgen. Victor had haar overhoord en het grappige was dat niemand begreep wat al die getallen voorstelden. Alleen Victor en zij.

Die ochtend moesten ze van de meester weer een opstel schrijven, dit keer over iets wat ze leuk vonden. Sara had haar belevenissen in het koninkrijk beschreven, in het Zuid-Afrikaans, omdat ze dat ook leuk vond. Tenminste, ze dacht dat het Zuid-Afrikaans was.

De meester klapte in zijn handen.

Ah, de tafels! Sara ging rechtop zitten.

'Jongens, even stil. Voor we tafels gaan doen, wil ik jullie iets vertellen, iets heel leuks.'

Sara luisterde nauwelijks, zo graag wilde ze laten zien dat ze de tafel van twaalf kende.

'Jullie weten misschien dat er hier niet ver vandaan een schaaktoernooi gehouden wordt,' zei de meester.

'Ja, het Westeinde-schaaktoernooi, meneer,' reageerde Mariette meteen.

Nu was Sara een en al aandacht.

'Heel goed, en weet je misschien ook hoe de twee schakers heten, Mariette?'

Ze knikte. 'Ja meneer, Tom de Ruyter en...'

'Bob Hooke,' zei Sara snel.

'Heel goed, Sara. Bob Hooke.' De meester was verbaasd dat Sara het wist. 'En nu komt de verrassing. Ik heb Bob Hooke gevraagd of hij een schaaksimultaanseance wil geven tegen de beste spelers van ons dorp.'

Sara wist niet wat een schaaksimu... nog iets was, maar dat er mensen uit haar dorp tegen haar vader gingen schaken, begreep ze wel.

De meester legde uit wat een schaaksimu-nog-iets was.

'Dan gaan er een heleboel spelers op een rij zitten. Ze hebben allemaal een schaakbord en Bob Hooke loopt langs en speelt in zijn eentje tegen al die schakers. Begrijpen jullie?'

Niemand in de klas begreep het.

Mariette stak haar vinger op.

'Waarom gaan we tegen Bob Hooke spelen, meneer? Ik vind Tom de Ruyter veel leuker.'

'Ik niet!' zei Sara boos.

'Stil!' De meester keek de klas in. 'Wie wil er eigenlijk tegen Bob Hooke schaken?'

Bijna alle kinderen in de klas staken hun vinger op, ook Sara. Natuurlijk wilde Sara meedoen. Ze keek naar Victor. Vanonder zijn opgestoken vinger grijnsde hij vrolijk naar haar.

'Niet iedereen kan meedoen, want uit de andere klassen en van andere scholen doen ook kinderen mee. Wie van jullie kan eigenlijk al schaken?' vroeg de meester.

Veel kinderen lieten nu teleurgesteld hun vingers zakken. Maar Sara niet.

'Kun jij al schaken, Sara?' vroeg de meester ongelovig.

Sara knikte.

'Nou, dat lijkt me niet. Je bent nog maar net begonnen.'

Sara wilde vertellen dat ze samen met de koningin schaken aan het leren was en dat ze al wist waar alle stukken stonden en wat ze mochten doen, maar de meester gaf haar de kans niet.

'De kinderen die kunnen schaken mogen aan het eind van de week tegen mij spelen,' zei hij, 'en de besten mogen dan meedoen aan de schaaksimultaanseance tegen Bob Hooke. Is dat afgesproken?'

Sara stak haar vinger zelfs nog verder omhoog. Zo graag wilde ze meedoen.

De meester zag het, en ook dat ze koppig keek. Hij vond het amusant.

'Nou, Sara, je zit zo met je vinger omhoog, laat maar eens horen. De tafel van twaalf.'

Sara dook ineen. Ze kreeg een beurt en ze wist niet...

Maar Victor keek haar bemoedigend aan.

O ja, de tafel van twaalf, die kende ze!

'Eén één twee, één twee. Twee één twee, twee vier,' zei ze plotseling fier.

De kinderen in de klas begonnen te lachen.

Sara ging trots verder. 'Drie één twee, drie zes...'

De meester fronste zijn wenkbrauwen.

'Vier één twee, vier acht.'

De klas lag dubbel van het lachen.

Sara rechtte haar rug, overstemde het rumoer. 'Vijf één twee, zes nul.'

'Ja, zo is het genoeg, Sara. Hou op met die onzin!'

'Zes één twee, zeven twee.' Sara was zo blij dat ze het nog wist, dat ze het wilde laten horen ook.

'Ja, erg grappig. Genoeg!'

Victor zag dat de meester niet begreep wat Sara bedoelde. 'Het is wel goed hoor, meneer,' zei hij.

Maar de meester wilde helemaal niet horen dat het goed was. Het leek in de verste verte niet op de tafel van twaalf die hij de klas geleerd had.

'Mariette, laat jij het maar eens horen.'

Mariette begon direct met haar scherpe stem de tafel van twaalf op te zeggen. 'Een keer twaalf is twaalf. Twee keer twaalf is vierentwintig,' zong ze.

'Drie keer twaalf is zestigduizend poep pies kak stront,' klonk het achter haar. Mariette draaide zich om en keek recht in het woedende gezicht van Sara.

'Vier keer twaalf is drieduizend vijfhonderd schijt,' riep Sara fel.

'Sara, ga de klas uit!' zei de meester.

Sara wilde niets liever. En ze zou nooit meer terugkomen ook. Met grote stappen beende ze de klas door. Gejoel begeleidde haar.

'Stilte!' riep de meester.

Sara liet de deur zo hard ze kon in het slot vallen. Victor was de enige die het niet grappig vond.

Sara liep weg en zou nooit meer terugkomen, nooit meer! Maar halverwege de gang, wist ze al niet meer waar ze heen moest. Naar huis wilde ze niet, naar haar moeder in de kapperswinkel kon niet en op straat was het nu niet leuk.

Ze ging aan een klein tafeltje in de gang zitten en keek naar buiten. Af en toe stond ze op om de klas in te gluren.

De meester stond voor het schoolbord en overhoorde de kinderen. Iedereen leek haar te zijn vergeten, ook Victor. Sara wist niet of de meester haar nog ooit de klas in zou roepen. Het kon haar niets schelen.

De koningin zou het vast ook stom vinden dat ze niet mee mocht doen aan de schaaksimultaanseance. Of zou de koningin misschien vinden dat...

Sara had een hele tijd aan het tafeltje gezeten toen de kinderen de klas uit kwamen. 'Sara poep pies kak! Sara poep pies kak,' riepen ze lachend.

Sara probeerde er niet naar te luisteren.

Victor kwam bij haar zitten maar de meester riep haar de klas in.

Hij gaf haar het opstel dat ze die ochtend geschreven had.

'Ik heb het even bekeken, Sara, het staat vol fouten. Bijna nog meer dan de vorige keer. Ik kon het soms niet eens lezen.'

'Het is Zuid-Afrikaans.'

De meester trok zijn wenkbrauwen op.

'Ik wil ook schaken, meneer,' zei Sara kleintjes.

'Schaken? Hoe wil je nou schaken als je de meest simpele dingen hier op school niet eens kunt leren? Dat zie je toch zelf ook wel in.'

'Nee,' zei Sara koppig. 'Ik wil meedoen.'

'Je bedoelt tegen Bob Hooke?'

Sara knikte.

'Ach Sara, kom op. Dat meen je niet. Je bent net begonnen met schaken en nu wil je al aan een wedstrijd meedoen. Het is veel te moeilijk voor jou. Weet je wat, we spreken af dat als je beter je best doet op school, ik je zal leren schaken.'

Maar Sara wilde niet dat de meester haar schaken ging leren.

'Mag ik niet meedoen aan de schaakwedstrijd, meneer?'

'Nee, je mag niet aan de schaakwedstrijd meedoen, nee!'

De meester gaf het op. Hij draaide zich van haar af en begon het bord schoon te boenen.

Sara liep de klas uit.

Die ochtend had de vader van Victor bij de kiosk gezien dat er een schaaksimultaanseance gehouden werd waar de beste schakers van het dorp aan mee konden doen. Het leek hem echt iets voor Sara en Victor.

'Kijk eens wat ik voor jullie heb.' Hij schoof het aanmeldingsformulier naar hen toe.

Sara en Victor keken er glazig naar.

'Sara mag niet meedoen van de meester omdat ze slechte cijfers haalt,' zei Victor en hij schoof het formulier opzij.

Eigenlijk vond Sara dat de meester gelijk had. Schaken was heel moeilijk en ze haalde nooit goede cijfers. Bovendien vond haar moeder het niet goed. Ze stond op en pakte haar schooltas.

Opeens sloeg Victors vader op tafel. Sara bleef verschrikt staan. 'Wat hebben cijfers nou met schaken te maken?' Hij keek Sara strak aan. 'Ik dacht dat je schaken aan het leren was, Sara. Je vindt het toch leuk?'

Het was lang geleden dat Victor zijn vader zo boos had gezien.

'Ja, maar ik...' zei Sara bedremmeld.

Victors vader stond op. 'Niets maar. Laat me eens zien hoever je in het boekje bent.'

Sara deed gehoorzaam haar tas open en pakte het boek over de koningin. Terwijl ze erdoorheen bladerde, zag ze alles wat ze in het koninkrijk had beleefd weer voor zich. Ze liet Victors vader zien waar ze gebleven was.

'O, ben je daar al! Dan weet je dus alle zetten.'

Sara knikte gretig.

Hij schoof een schaakbord naar haar toe. 'Kom, wij gaan een partijtje doen.'

Een partijtje? Maar ze had nog nooit een partij gespeeld...

'Sara, ben je nou schaken aan het leren, ja of nee?'

Sara knikte.

'Kom, jij mag met wit,' zei hij.

Sara werd rustig, net als die keer dat Victors vader de meester niet begreep.

Victor hing over tafel en keek gespannen naar de partij die Sara met zijn vader speelde. Hij zag algauw dat Sara veel beter schaakte dan hij gedacht had.

13

Sara had haar eerste schaakpartij gespeeld! En ze had het ook nog eens heel goed gedaan, had de vader van Victor gezegd. Ze wilde het het liefst aan iedereen vertellen. Maar dat kon niet. Ja... ze zou het aan de koningin vertellen!

Ze rende meteen de trap op toen ze thuiskwam.

'Sara, kom eens hier.' Haar moeders stem kwam uit de woonkamer. Daar zat ze nooit 's middags, tenzij er bezoek was.

Sara kwam weer naar beneden.

'Kom eens. Ik begrijp het niet helemaal.'

Haar moeder gebruikte haar nette stem. Zo sprak ze ook tegen klanten in de kapperswinkel.

Sara bleef stokstijf op de drempel staan.

'Dag Sara,' zei de meester vriendelijk vanuit de grote stoel waar grootvader altijd in zat.

Haar moeder schonk thee in, in de mooie kopjes.

'Ik maak me zorgen om je, Sara, echt waar.' De meester pakte zijn kopje op, liet er een schepje suiker in glijden en roerde beheerst.

'De meester vertelt net dat hij gezegd heeft dat hij je bijles wil geven, daar wist ik helemaal niets van,' zei haar moeder.

'Ik heb al bijles.' Sara zette zich schrap.

'Maar hoe komt het dan dat je je schoolwerk weer niet geleerd had?'

'Dat had ik wel.' Sara deed een stap de kamer in, maar echt veel zin om dichterbij te komen had ze niet.

'Helpt de vader van Victor je nu met je huiswerk of niet?' vroeg haar moeder streng.

Natuurlijk hielp de vader van Victor haar niet met haar huiswerk, althans niet op de manier waarop de meester het bedoelde. Maar Sara wilde geen bijles. Ze vond wat ze van Victors vader leerde veel en veel leuker dan al die stomme lessen op school.

'Sara!' klonk het dwingend.

'Jawel,' zei Sara zwak.

'Ik heb veel liever dat de meester je helpt. Hij weet precies wat je moet leren.' Haar moeder glimlachte naar de meester.

'Nee!' schreeuwde Sara in gedachten.

De meester vond het tijd worden om zich ermee te bemoeien. 'Het is echt beter hoor, Saar.' Geduldig, alsof ze in de klas zaten, begon hij het te verduidelijken: 'De vader van Victor is misschien knap, maar hij is geen leraar.'

Sara zweeg. Ze wachtte tot ze weg mocht, naar boven, naar haar kamer.

De meester nam een slokje thee en keek weer naar haar moeder. Die leek het helemaal met hem eens te zijn.

'Ik heb al voorgesteld, dat als Sara haar huiswerk heeft ingehaald, ik haar leer schaken,' zei hij.

Sara's moeder verstijfde en keek de meester verbijsterd aan. Schaken?

Ze zette net iets te hard haar kopje op tafel. 'Schaken, o nee hoor, dat lijkt me niet nodig,' zei ze.

Dit was erger dan slechte cijfers halen en schoolwerk niet maken, voelde Sara.

De meester schrok ervan. Het leek wel alsof hij verteld had dat hij Sara leerde roken of iets anders vreselijks.

'Maar... het is geen enkele moeite, hoor, en ik dacht, omdat ze het toch al aan het leren is...' begon hij.

'Sara leert helemaal niet schaken. Ik denk dat u dat verkeerd begrepen heeft,' zei Sara's moeder vinnig. Ze keek haar dochter aan. 'Ga jij maar alvast naar boven. Ik kom zo bij je!'

Sara liep de kamer uit, de trap op. Veel langzamer dan toen ze daarnet thuiskwam.

De meester verbrak de stilte, zette zijn theekopje op tafel.

'Elke middag een uurtje bijles lijkt me voldoende, dan moet ze na een paar weken weer aardig bij zijn.'

'O ja, dat is erg aardig van u,' hoorde ze haar moeder zeggen.

Toen de meester weg was, kwam haar moeder bij haar. Ze was heel boos, vooral omdat Sara niet verteld had dat ze in plaats van huiswerk te maken, bij Victor schaakte.

'Ik wil niet dat je schaakt, Sara. Niet voordat je een goed rapport hebt. Is dat duidelijk?'

Sara antwoordde niet. Ze haalde toch nooit een goed rapport.

'En het lijkt me beter als je een tijdje niet bij Victor speelt.'

Sara dook onder de dekens. Ze wilde niets meer horen.

Haar moeder deed het licht uit en liep de kamer uit.

Ik wil niet dat je schaakt, Sara. Is dat duidelijk? De woorden van haar moeder echoden door haar hoofd.

Waarom mocht het niet, waarom nou niet? Sara probeerde het te begrijpen, zoals ze de sommen op school probeerde te begrijpen.

Ze luisterde gewoonlijk echt wel naar haar moeder, maar de vader van Victor had gezegd dat ze best mocht leren schaken en dat schaken niets met cijfers te maken had. En hij had ook nog gezegd dat ze het heel goed kon.

Ze wilde naar de koningin. Dan kon ze tenminste vertellen dat de spelregels die ze bedacht hadden, klopten.

Sara pakte het schaakspel onder haar bed vandaan. Voorzichtig zette ze de koningin in de vensterbank.

Buiten was het donker geworden.

Sara keek naar de koningin.

'Ah, gelukkig, daar ben je!' De koningin kwam verheugd op haar af.

Sara was weer in het koninkrijk. Hier was het ook al avond. De maan scheen over de binnenplaats.

De koningin was zo blij dat Sara er weer was, dat ze niet zag dat Sara verdrietig keek. Ze pakte haar hand en leidde haar naar het midden. 'Jongens, Sara is er!'

Iedereen had blijkbaar op haar zitten wachten want ze gingen direct klappend en joelend in hun beginpositie staan.

De koningin draaide vrolijk om Sara heen. 'O, ik ben zo blij dat je er bent. Ik had anders niet geweten hoe we onze eerste partij moesten spelen.'

Sara vertelde dat ze die middag tegen de vader van Victor had geschaakt en dat de regels die de koningin bedacht had klopten. De koningin kon wel dansen van geluk.

'Knap van ons, hè?' zei ze blij. 'O, wat ben je toch een wonder. Kind, kind, kind!' En toen deed de koningin iets wat ze nog nooit had gedaan. Ze gaf Sara zomaar een kus op haar wang.

♕ Sara was meteen niet meer zo verdrietig.

14

Voordat de onderdanen van beide koninkrijken aan hun eerste schaakpartij begonnen, wilde de raadsheer graag iets
zeggen. Hij had weer een nieuwtje.

Trots hield hij twee grote rollen perkament omhoog. Op de
ene stonden letters en op de andere cijfers. Met deze twee
rollen kon hij elke tegel op de binnenplaats een naam geven,
beweerde hij.

Iedereen stond een beetje glazig te kijken.

De raadsheer gaf een demonstratie. Hij rolde de stroken perkament uit; de strook met de letters legde hij achter het koningspaar en de strook met cijfers langs de zijkant van het speelveld.

Hij had de eerste letters van de namen van de soldaten gebruikt: de a van soldaat Appie, de b van soldaat Bertje, de c van Cicero, de d van de lieve trage soldaat Dirk, de e van soldaat Eduard die altijd haast had, de f van Ferdinand, de g van Gerrit die vaak bang was en de h van soldaat Hendrik die meestal, leunend tegen zijn speer, in slaap viel.

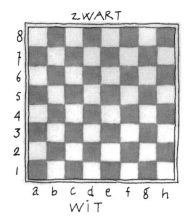

De cijfers één tot en met acht liepen gewoon van de rij waarin de witte koning stond tot aan de rij waarin de zwarte koning stond. Het waren acht rijen, dus dat kwam goed uit.

Elke tegel had nu een naam. Van a1 tot h8. Dat kon iedereen zien.

De raadsheer legde uit hoe uitermate handig het was, vooral wanneer de koning er onverwachts aan kwam. Je moest dan maken dat je wegkwam en er was geen tijd om te onthouden waar je precies stond. Met de letters en cijfers hoefde je alleen maar de naam van je eigen tegel te onthouden. En als er verder werd gespeeld, kon je zo die tegel weer opzoeken.

De raadsheer keek trots rond. Zo! Nu zouden ze hem wel verschrikkelijk knap vinden.

En eigenlijk vond iedereen dat ook, maar de raadsheer had zo vaak gezegd dat het geen leuk spel werd, dat ze geen zin hadden om hem een complimentje te geven. De koningin zei dat ze er niets van begreep en ook de anderen deden alsof ze het maar onzin vonden. Van al die cijfers en letters werd je maar duizelig, zeiden ze.

De raadsheer was verbijsterd. Hij werd omringd door idioten! Nu wist hij het zeker. Beledigd ging hij op zijn plaats staan. Hij besloot de koningin nooit, maar dan ook nooit meer te helpen.

Gelukkig bleven de stroken met cijfers en letters liggen, zodat iedereen kon spieken op welke tegel hij stond.

De witte toren, achter soldaat Appie, stond op a1, de witte hofdame, achter soldaat Cicero, op c1, terwijl soldaat Cicero zelf op c2 stond.

Sara klom de brede trap achter het zwarte leger op. Vanaf het bordes kon ze de binnenplaats goed overzien. En ook zij zag dat alle tegels nu een naam hadden. Het was echt heel handig!

Nu konden ze beginnen.

Zou het spel wel leuk zijn? vroeg de koningin zich af. De hofdame giechelde. Dat deed ze altijd als ze zenuwachtig was.

De raadsheer had zijn oordeel al geveld. En soldaat Eduard die altijd haast had stond te wiebelen.

'En nu?' vroeg hij.

'Nu mogen wij de eerste zet doen!' antwoordde de witte raadsheer bits.

De zwarte koning stapte direct naar voren. 'En waarom mogen jullie de eerste zet doen, als ik vragen mag?'

'Omdat onze koningin het spel verzonnen heeft, natuurlijk,' snibde de witte raadsheer terug.

Sara moest lachen. Ze hadden al ruzie voordat het spel begonnen was.

Gelukkig vond de zwarte koning dat de raadsheer gelijk had. Tot nu toe had hij inderdaad nog niet veel bijgedragen aan het spel.

De witte koningin, die inmiddels op het bordes achter het witte koninkrijk had plaatsgenomen, keek naar beneden, naar haar onderdanen. Ze stonden keurig te wachten.

'Goed, soldaat Dirk. Ga jij maar van… eh… d2 naar d4,' beval ze vriendelijk. 1.)d2-d4,…*

De raadsheer was verbluft. De koningin had zijn nieuwtje dus toch begrepen.

Ze keek hem ondeugend aan. O, wat had ze hem in de ma-

---

* Zo worden de zetten van een schaakpartij opgeschreven. Zie voor uitleg p. 177

ling genomen, maar o, wat was ze toch mooi, zijn koningin... Hij kon niet boos op haar blijven.

Soldaat Dirk deed twee stappen naar voren en belandde helemaal alleen in het midden van het speelveld; niets of niemand beschermde hem. Hij voelde zich erg ongemakkelijk.
Hierna mocht het zwarte koninkrijk een zet doen.

De zwarte koning keek hulpeloos naar zijn vrouw.
'Wat zal ik doen?'
'Aanvallen misschien?' Dat kon nooit kwaad, dacht ze.
Maar ja, dat was makkelijker gezegd dan gedaan! De zwarte
koning begon diep na te denken. Iedereen wist dat het nu
wel eens heel erg lang kon gaan duren.
En toen vroeg Sara verlegen of zij het zwarte koninkrijk mis-
schien kon helpen.
De zwarte koning vond het direct een uitstekend idee. Een
zucht van verlichting ging door de gelederen.
Sara wist precies wat haar te doen stond. Ze wilde de zwarte
hofdame en koningin de ruimte geven.

1.)..., d7-d5 'Soldaat David van d7 naar d5,' beval ze, alsof ze haar hele leven niets anders gedaan had.
Soldaat David liep twee stappen naar voren en bleef vlak

voor soldaat Dirk staan. David, die erg bij
de pinken was, besefte meteen dat hij nu
geen kant meer op kon en gepasseerd
dreigde te worden. Zijn taak was toch het
vijandelijke leger tegen te houden? Of
niet soms?
'Ik vind het ontzettend stom dat wij alleen maar recht vooruit mogen,' zei hij
verontwaardigd.
De witte hofdame liep naar het bordes en
zei tegen de koningin: 'Ziet u wel, majesteit. We hadden die
soldaten niet mee moeten laten doen. Het geeft alleen maar
gezeur. Ze willen altijd wat anders.'
Maar de koningin vond dat de soldaat gelijk had.

'Weet je wat?' zei ze. 'Als er iemand schuin tegenover je staat mag je hem gevangennemen, maar alleen als hij schuin tegenover je staat.'

Soldaat David vond het onmiddellijk een geweldig idee. Zó kon hij zijn land tenminste verdedigen.

'Hé! Mag ik hem gevangennemen?' riep soldaat Dirk, uit een dagdroom ontwakend.

De hofdame ontplofte bijna. Kon die idioot dan nooit eens opletten!

Ook de raadsheer keek verstoord. 'Nee, natuurlijk niet. Die soldaat staat recht voor je neus. Je mag alleen iemand gevangennemen die schuin voor je staat, sufferd!'

Alle aanwezigen zuchtten diep. Dirk was wel heel erg dom!

Alleen Sara en de koningin glimlachten troostend naar hem. Ze wisten dat hij het niet expres deed.

'Zo. Nu bent u weer aan de beurt.' De witte raadsheer wilde verdergaan.

Het witte paard Karel begon heftig te wuiven. Hij wilde een suggestie doen.

'Laat mij gaan, dan val ik de zwarte soldaat David op d5 aan.'

Natuurlijk hoorde iedereen hem, ook David, de zwarte soldaat.

De koningin knikte. 'Goed. Jij mag van b1 naar c3,' zei ze vriendelijk. 2.) Pb1-c3,...

Paard Karel sprong trappelend van opwinding omhoog, over soldaat Bertje heen en toen opzij. Hij kwam toch nog elegant op c3 terecht en keek de zwarte soldaat David uitdagend aan.

Deze begreep volstrekt niet wat er aan de hand was. Dat suffe paard stond nog mijlen ver van hem vandaan.

'Hoezo val je mij aan?' vroeg hij.

'Zie je wel, hij ziet niet dat we gevaarlijk zijn.' Paard Karel glunderde.

Witte soldaat Dirk begreep de situatie opeens.

'Eén recht en één schuin en hóp, hij neemt je gevangen!' riep hij uitgelaten.

2.)..., Pb8-c6

Toen pas drong het tot David door. Help!

'Paard Kim van b8 naar c6,' zei Sara.

'Aanvallen is soms de beste verdediging,' legde de raadsheer uit. 'Kijk, ze valt soldaat Dirk op d4 aan. Als wij nu haar soldaat David gevangen nemen, neemt zij Dirk gevangen. Heel slim van haar.'

De zwarte merrie Kim stond op het punt de sprong van haar leven te maken, toen de lakei van de koning op het bordes verscheen. Hij blies op zijn trompet.

'De koning!'

'Iedereen weg, snel!' riep de witte koningin geschrokken.

De aanwezigen schoten alle kanten op.

De raadsheer genoot. Zijn nieuwtje kwam uitstekend van pas. Nu wist iedereen tenminste waar hij stond als er straks verder gespeeld werd.

Daar was de witte koning al. Het zwarte koningspaar en hun onderdanen konden de poort naar buiten niet meer bereiken. Ze besloten zich in een donkere hoek te verstoppen, hopend dat hij snel weer zou vertrekken.

De koning kwam met veel gekletter de brede trap af.

De zwarte koning greep de hand van zijn vrouw. Zijn soldaten vormden een beschermende kring om hem heen.

De hofdame moest nu helemaal giechelen van de zenuwen en de koning, gevaarlijk behangen met speren en harpoenen en kruisbogen, keek haar woest aan. 'Wat valt er te lachen?' vroeg hij dreigend. Hij was gekomen om zijn oorlogstenue te laten zien en niet voor dit soort flauwekul. Daarom draaide hij zich naar zijn vrouw, de koningin, en blies zich op zodat hij er nog indrukwekkender uitzag. De hofdame kromp ineen. Toen zag de koning Sara, boven op het bordes. Hij greep een speer. Wie was dat?

93

De koningin ging beschermend voor haar staan.

15

♔ De koning liep op Sara af. Zijn wapens kletterden bij elke stap. Van een afstandje bekeek hij haar. Hij had nog nooit een echt mensenkind gezien. Ze had mooie donkere ogen, vond hij. Hij liet zijn dreigende houding varen.

'Ze is verschrikkelijk klein, zeg,' zei hij tegen zijn vrouw.

'Ze is mijn vriendin.'

'O, nou ja, zou kunnen, maar klein is ze wel.' Hij bedoelde het niet gemeen.

'Ze is klein, maar héél knap,' zei de koningin.

De koning keek omhoog naar Sara.

'Morgen ga ik oorlog voeren,' zei hij trots. Hij had gehoord dat mensen erg van oorlog voeren hielden.

'O jeetje,' zei de koningin. Morgen al! Wat ging de tijd snel.

'Waarom zeg je nou "O jeetje"?'

'Zei ik "O jeetje"?' De koningin was de onschuld zelve.

'Ja. Je zei: "O jeetje"!' De koning vond dat hij verder geen tijd had voor vrouwenpraatjes. Hij ging oorlog voeren en er moest nog veel gebeuren. Allereerst zijn kleding.

'Zeg, waarde vrouw, hoe vind je mijn pak?'

De koning paradeerde over de binnenplaats zodat zijn vrouw hem goed kon bekijken. De koningin bekeek de speren, harpoenen, kruisbogen en schilden die hij had omgehangen. Ze vond dat hij er gevaarlijk uitzag, maar ook een beetje stuntelig.

Plotseling bleef de koning staan. Hij spiedde de duisternis in. Wat was dat daar, in het donker? Zag hij het goed? Daar stond het zwarte koningspaar met zijn gevolg! Dat kon toch niet waar zijn!

'Wat doen jullie hier?'

De zwarte koning voelde zich betrapt. Hij verzamelde al zijn moed en deed een heldhaftige stap de duisternis uit.

'Goedenavond, waarde collega. We werden uitgenodigd om...'

Nog voor hij zijn zin kon afmaken, schoot de witte koningin tussenbeiden. 'Ze kwamen je veel succes wensen met je oorlog,' zei ze razendsnel.

De zwarte koning begreep er nu ineens niets meer van. Ze waren toch een spel aan het verzinnen?

Ook de witte koning geloofde zijn oren niet. Hij wist zeker dat hij verteld had dat hij nu juist tegen het zwarte koninkrijk oorlog wou gaan voeren. Ach, hij kon ook niet verwachten dat zijn vrouw een geheugen had voor zulke belangrijke staatszaken... Vertederd wenkte hij haar.

'Ik ga oorlog tegen hen voeren. Zij zijn de vijand!' legde hij geduldig uit.

De koningin wist even niet wat ze moest zeggen. Haar hersenen werkten op volle toeren.

'Maar dat is toch pas morgen. Morgen ga je toch pas oorlog voeren?' zei ze toen.

Ja, dat was waar. Daar had hij nu weer helemaal niet aan gedacht. Hij had zin om zijn vrouw te zoenen, maar iedereen stond erbij...

'Dus je vindt mijn pak mooi?' zei hij in plaats daarvan.

'Volgens mij kun je je zo niet zo goed bewegen. Ik zou iets minder aan doen.'

Ze had gelijk. De witte koning knikte. Zonder zijn vrouw zou hij nooit zo gelukkig zijn, vooral nu ze hem oorlog liet voeren. Hij hield onuitsprekelijk veel van haar. Hij werd droevig bij de gedachte dat hij morgen...

'Misschien zie je me nooit meer, misschien sterf ik in de strijd,' zei hij dramatisch.

De witte koningin zei troostend: 'Maar liefste. Je hóéft toch helemaal geen oorlog te voeren.'

'Natuurlijk wel. Het is mijn plicht, als koning, om te strijden.'

Plotseling kreeg de koning een subliem idee. Hij stapte op het zwarte koningspaar af en riep: 'Ik daag u uit! Morgen, precies om vijf uur, zullen wij strijden om ons land.'

De raadsheer trok een pijnlijk gezicht. 'Maar sire, is dat nou wel verstandig? Ik bedoel, als we verliezen...'

De koning keek hem bestraffend aan. 'We gaan niet verliezen en als we winnen, hebben we een groot land. Hahaha...'

Hij wendde zich weer tot de zwarte koning. Iedereen werd doodstil.

'Een van ons zal moeten sterven!' brulde de witte koning. Zijn stem weerkaatste tussen de muren van de binnenplaats. Tot ver in het koninkrijk was hij te horen.

Een siddering ging door de gelederen. Sterven!

Hierna draaide de koning zich sierlijk af – althans voor zover mogelijk met al die wapens – en besteeg de trap.

Het duurde even voordat iemand iets durfde zeggen. Uiteindelijk was het de zwarte koning die op de witte koningin afkwam. Hij voelde zich bedrogen. Ze zouden een spel spelen en nu verklaarde de witte koning hem de oorlog.

'Ik dacht dat we het gezellig zouden houden,' zei hij.

'We houden het ook gezellig. We hebben het spel!'

'O ja, het spel!' Maar de zwarte koning was niet helemaal overtuigd.

Ook de witte raadsheer had zijn twijfels. Hij nam de koningin apart.

'Het spel is nog lang niet af en of de koning het leuk zal vinden...? Ik denk dat we ons moeten voorbereiden op een oorlog.'

'Nee!' riep de koningin fel. Voor het eerst sinds jaren had ze zin om op de vloer te stampen, maar in plaats daarvan besteeg ze beheerst de trap. Ze moest haar volk toespreken.

'Jullie hebben het gehoord. Morgen, als de klok vijf keer slaat, is het grote moment aangebroken. De koning zal géén oorlog voeren omdat wij iets veel leukers bedacht hebben.'

De paarden stonden vooraan en begonnen direct te knikken.

'Zijn jullie bereid te spelen?' vroeg de koningin plechtig.

Onmiddellijk wierpen de paarden hun hoeven in de lucht, hieven de soldaten hun speren en riep bijna iedereen uitbundig: 'Ja!'

'Hebben jullie er zin in?' De koningin werd nu ook enthousiast.

Zelfs de witte en zwarte hofdames en raadsheren, die zich meestal te goed voelden om met de massa mee te schreeuwen, riepen uitbundig: 'Ja!'

'We zullen winnen, ook al is er verlies!'

Dat begrepen ze niet. Wat bedoelde ze?

'Lang leve de koningin!' riepen ze maar.

Ze werd er verlegen van. 'Jongens, niet overdrijven.'

'Lang leve de koningin!' klonk het nog geestdriftiger.

De zwarte koningin glunderde, want het sloeg ook een beetje op haar, vond ze.

Toen boog de witte koningin zich naar Sara. 'Jij bent er toch ook, hè? Morgen om vijf uur?'

Sara knikte. Natuurlijk was ze er morgen om vijf uur.

De koningin glimlachte. 'Gelukkig maar, want niemand

kent de regels zo goed als jij. Wil jij het spel aan de koning uitleggen?'

Sara knikte.

♕ 'Dat is dan afgesproken,' zei de koningin opgelucht.

16

Sara mocht niet meedoen aan de schaakles op school. Daarvoor haalde ze te veel onvoldoendes. Zíj moest tijdens de schaakles in de klas haar schoolwerk inhalen. Opdrachten uit haar aardrijkskundeboek.

Ze vond het moeilijk om niet alsmaar naar de schaakborden op de andere tafels te kijken. Maar elke keer als ze het wel deed, riep de meester: 'Sara!'

Mariette zat ook te schaken en Sara hoorde haar tegen de meester zeggen dat ze bijna iedere avond tegen haar vader speelde en gisteren zelfs van hem gewonnen had.

'Nou, als je morgen ook zo goed tegen mij speelt, mag je zaterdag tegen Bob Hooke schaken,' zei de meester vriendelijk.

Mariette knikte verrukt.

Natuurlijk wilde Sara ook laten zien dat ze kon schaken. De koningin had gezegd dat ze het heel goed kon, en de vader van Victor ook. Misschien zou ze het straks, als ze haar opdracht af had, kunnen vragen.

Maar aan het einde van de les was het al over half vijf en Sara had om vijf uur een afspraak met de koningin. Er was dus geen tijd meer. Ze pakte haar tas en wilde Victor net vertellen wat ze gisteren in het koninkrijk had meegemaakt, toen de meester achter haar aan kwam.

'Sara! Waar ga jij naartoe?'

'Naar huis,' antwoordde ze nietsvermoedend.

'En je bijles dan? Je hebt nog bijles.'

Bijles? Bijles! Ja, dat had de meester gisteren met haar moeder afgesproken. Maar haar afspraak met de koningin dan?

Sara beet op haar lip. Ze keek naar de klok. Het was acht over half vijf. 'Jij bent er toch morgen ook, om vijf uur?' hoorde ze de koningin in gedachten vragen.

Hoe kon ze nou zo dom zijn om te vergeten dat ze bijles had!

De meester schreef sommen op het bord en draaide zich toen naar haar om.

'Als je nu je best doet, zal ik straks kijken of je goed genoeg schaakt om mee te doen aan de schaakwedstrijd. Is dat afgesproken?'

Ja, dat wilde ze wel. En als ze snel was, kon ze toch nog op tijd bij de koningin zijn.

'Goed. Dan beginnen we met de tafel van twaalf.' Hij wees naar het bord.

'Twaalf, vierentwintig, zesendertig, achtenveertig, zestig, tweeënzeventig, vierentachtig, zesennegentig, honderdacht, honderdtwintig,' zei Sara in een noodtempo. De meester kon het nauwelijks bijhouden. Terwijl hij de antwoorden opschreef begreep hij opeens wat Sara gisteren in de klas geantwoord had. Ze kende de tafel van twaalf toen dus wel.

Sara hield de klok scherp in de gaten. Ze zag de minutenwijzer verspringen. Het was nu achttien minuten voor vijf. Ze begon te wiebelen. Het was vijf minuten lopen naar huis.

De meester schreef weer een som op.

De koningin zou het verschrikkelijk vinden als ze er niet was. Ze zou ongerust zijn en het niet begrijpen. En als de koning oorlog ging voeren, moest iedereen vluchten. Dan zag ze de koningin misschien nooit meer!

'Meneer, mag ik het nu laten zien?' vroeg ze gespannen.

'Wat?' De meester was alweer geïrriteerd.

'Dat ik kan schaken?'

'Nee, eerst deze som.' Hij wees een ingewikkelde som op het schoolbord aan.

Sara durfde haar blik niet van de klok af te wenden. De minutenwijzer sprong alweer verder.

'Je let weer niet op!'

Sara keek even naar de som. 5+10=...

'Vijftien.'

'Heel goed.' Hij schreef het antwoord op. 'Vijftien min negen is...'

De secondenwijzer wandelde rustig verder.

'Zes!'

'Precies. Zie je wel dat je het kan! De volgende.' Hij begon nu een verschrikkelijk moeilijke som op te schrijven.

Sara's ogen waren onafgebroken op de klok gericht. O, als de meester maar opschoot.

Toen werd er op de deur geklopt en kwam er een meisje uit een andere klas binnen. 'Meneer, er is telefoon voor u.'

De meester zei dat Sara som acht tot en met tien uit haar rekenboek moest maken en verliet het klaslokaal.

Het werd zeven minuten voor vijf. Kon ze de sommen nog maken? De meester zou razend zijn als ze wegging, maar de koningin... Als ze nog langer wachtte was ze nooit op tijd in het koninkrijk.

Sara sprong uit haar stoel, pakte haar tas en rende de klas uit. Ze holde zo hard ze kon door de gang, duwde de zware voordeur naar buiten open en stormde het schoolplein op.

De meester die in zijn kantoor aan de telefoon zat, zag iemand voorbij flitsen. Hij keek door het raam. Sara! Ze liep zomaar uit zijn bijles weg...

In het dorp moesten de mensen opzij stappen om niet tegen haar op te botsen.

De grote minutenwijzer van de klok op de kerktoren sprong met een zware tik verder. Nog maar drie minuten.

♔ In het koninkrijk liep de witte koningin bezorgd heen en weer. Ook de zwarte en witte onderdanen keken gespannen naar de grote poort. De koning kon nu elk moment bovenaan de trap verschijnen.

De kerkklok sloeg.

Sara's grootvader hoorde de voordeur in het slot vallen. Hij stak zijn hand op om Sara te begroeten. Maar ze rende langs zijn kamer.

♛ De derde slag dreunde door het koninkrijk.

De koningin liep bezorgd naar haar hofdame.

Met een schok realiseerde de zwarte koning zich dat hij zich absoluut niet had voorbereid op een oorlog. Het was toch geen val?

Ook de vierde slag weerklonk.

Het zwarte koningspaar keek elkaar aan. Voor vluchten was het te laat!

En toen hoorde de koningin kleine voetstappen. De grote poort naar buiten opende zich. Iedereen keek verwachtingsvol op.

Ja hoor, daar kwam Sara. Ze was buiten adem en sprong met twee treden tegelijk de brede trap af.

De koningin kreeg tranen in haar ogen. Zo blij was ze dat Sara er weer was. Ze omhelsde haar innig.

Ook het zwarte koningspaar was nu niet bang meer.

De grote torenklok sloeg voor de vijfde maal en precies op dat moment – de koning was altijd stipt op tijd als het om oorlog voeren ging – gingen de deuren boven aan de trap open.

Het zwarte koningspaar, de paarden, torens en soldaten, iedereen trok zich terug in het donker. Op een teken van de

♛ koningin zouden ze tevoorschijn komen.

17

♛ De koning verscheen in vol ornaat.

'Vandaag is de dag dat ik vechten mag. Het uur heeft geslagen dat u wordt verslagen,' bulderde hij trots over de binnenplaats. 'Leuk hè? Het rijmt!' riep hij naar zijn vrouw.

Ja, erg leuk, dacht de witte koningin.

Sara had zich achter haar verscholen en keek voorzichtig langs de koninklijke satijnen jurk naar het bordes.

De koning leek nog reusachtiger in zijn witte bontjas. Een gevaarlijk zwaard bungelde aan zijn heup.

'Laat het leger zich presenteren!' beval hij krachtig. Binnen enkele seconden zou het leger zich op de binnenplaats opstellen. Zo ging het bij elke oorlog, dus nu ook weer, veronderstelde hij.

Het zwarte koningspaar keek elkaar opgewonden aan, de paarden begonnen te trappelen, de soldaten zetten hun helm recht, de hofdame onderdrukte een giechel en de raadsheer streek zijn mantel glad. Het grote moment was aangebroken.

Precies tegelijk (ze hadden er lang op gestudeerd) kwamen ze vanuit het donker de binnenplaats op. Als in een elegante dans schoven ze naar hun plek.

Het schaakspel was klaar om te beginnen.

Het is onnodig te zeggen dat de witte koning verrast was. Jammer genoeg was hij niet *aangenaam* verrast. Hij kookte gewoonweg van woede. Zijn eigen leger stond samen met het zwarte leger op zijn bloedeigen binnenplaats! Hij wou oorlogvoeren tegen dat zwarte koninkrijk. Dan was het *niet* de bedoeling dat die lui in zijn kasteel waren!

'Wat doen zij hier?' vroeg hij stampvoetend aan zijn vrouw. Hij wachtte het antwoord niet eens af en stormde de trap af. Halverwege echter minderde hij vaart. Hij hield het zwarte leger goed in de gaten. Straks was het een valstrik en gingen ze in de aanval. Behoedzaam schuifelde hij naar zijn raadsheer. 'Wat staan jullie zot. Raadsheer, wat heeft dit te betekenen?'

De raadsheer was voorbereid op deze vraag en toch vergat hij op slag het antwoord. 'Eh, ja en nee... eh, het is een spel. Het schaakspel!' hakkelde hij.

De witte koning kneep zijn ogen samen. De man was toch wel goed wijs?

'Maar beste vriend. Ik heb nu helemaal geen tijd voor spelletjes!'

Tja, dat vond de raadsheer ook. Natuurlijk hadden ze geen tijd voor spelletjes. Hij had het al die tijd al gezegd. Dit spel was niets voor zijn koning.

Gelukkig bemoeide de witte koningin zich ermee.

'Probeer het een keer. Het is heel simpel, maar ook heel moeilijk!' zei ze enthousiast.

Simpel en moeilijk? De koning dacht erover na. Opeens kreeg hij de lakei met het kroontje op zijn hoofd in het vizier.

'Wie is dat nou weer?'

'Hij speelt jou. De witte koning!' antwoordde zijn vrouw opgewekt.

De witte koning beschouwde zichzelf als fors en imposant. En die lakei? Pfff, die was nogal iel. Maar ja, niemand kon natuurlijk ook maar in de verste verte tippen aan zijn koninklijk postuur.

De tijd drong, de witte koning wou nu wel eens aan zijn oorlog beginnen. Hij had het dit keer extra goed voorbereid. Waarom stond de raadsheer nou nog steeds als een hark tussen die anderen?

'Hebben ze jou soms ook weten te strikken voor dit onzinnige gedoe?' Het klonk nogal dreigend.

De raadsheer schraapte zijn keel. Ja, het was onzinnig allemaal, natuurlijk...

Zijn blik kruiste die van de koningin. Ze keek hem vermanend aan. Als hij haar nu in de steek liet, zwaaide er wat!

'Eh, ik dacht zo... eh... tsja ... uhhh... kijk, dan kunt u uw oorlogstactiek met dit spel uitproberen,' zei hij.

Zo, dat was nog eens slim bedacht. Ongelooflijk! En dat op het allerlaatste moment. En het was nog waar ook!

'Is dit een oorlogsspel? Gaan deze twee partijen met elkaar vechten?' Er klonk enige argwaan in de stem van de koning.

Alle aanwezigen begonnen heftig te knikken. Ja, dit was een oorlogsspel.

Mmm. Misschien had de raadsheer gelijk en kon hij zijn oorlogsplannen uitproberen.

'Nou, laat maar eens zien dan.'

De koning deed een stap opzij en gaf de soldaten de ruimte. Hij verwachtte een fikse knokpartij.

Maar in plaats daarvan boog de witte koningin zich naar Sara. 'Ben je klaar?' vroeg ze.

Sara kwam achter de koningin vandaan. Ze ging voor de koning staan. Als ze omhoogkeek, zag ze in de verte zijn gezicht. Ze voelde zich nietig.

'Ah, daar heb je haar weer. Je bent nog steeds niet gegroeid, zie ik.' De koning grijnsde vanuit de verte. Hij keek naar zijn vrouw. 'Gaat zij mij het spel uitleggen?'

'Ja,' antwoordde de koningin.

Dat kleine meisje ging hem een oorlogsspel uitleggen! Wat dachten ze wel niet?

'Bedankt, maar nee, dank je!'

De koning liep stampend van woede weg.

'De eerste regel luidt: Als je de koning van de vijand gevangen kan nemen, dan heb je gewonnen.'

Sara's stem was klein vergeleken bij de zware voetstappen van de koning. En toch bleef hij staan.

'En het witte rijk begint,' zei Sara ferm.

De witte koning draaide zich om. Mmm, dat klonk niet slecht. Misschien was het kleine meisje wel zo knap als zijn vrouw gezegd had. Hij besloot het erop te wagen.

De koning luisterde aandachtig naar die kleine dappere Sara. Ze vertelde alles wat ze bedacht hadden. Het klonk spannend, vond hij. Alleen dat zijn vrouw zo ver mocht, dat was wat merkwaardig.

Maar goed. Hij wou het allemaal wel eens zien.

'Vooruit. Eén spelletje dan,' zei hij uiteindelijk.

Iedereen kon wel dansen van geluk. Maar daar was nu geen tijd voor.

♕ Ze gingen schaken met de koning!

18

♕ De zwarte koning keek achterom en zag dat Sara weer op het bordes zat. Mooi zo, dacht hij.

'Waarde collega. Vindt u het goed als Sara het bevel over ons voert?' vroeg hij. Hij hoefde dat natuurlijk niet aan de witte koning te vragen, maar gezien het opvliegende karakter van zijn collega leek het hem beter.

Het zijn echt een stelletje bloemkolen daar aan de overkant, dacht de witte koning. Wie liet nou zo'n klein meisje het zware werk opknappen?

'Als u dat wilt!' antwoordde hij koeltjes.

Onnodig te zeggen dat de onderdanen van het zwarte koninkrijk zeer tevreden waren over dit besluit!

Eigenlijk waren de soldaten de enigen die naar voren konden, dacht de witte koning, die de eerste zet mocht doen. Alle anderen stonden ingesloten.

'U kunt ons ook laten gaan, want wij kunnen springen,' zei paard Kees. Niet geheel ten onrechte was hij bang dat de koning hen over het hoofd zag.

De raadsheer zuchtte. Waar bemoeide dat paard zich mee? Vergat hij soms dat hij, de raadsheer, de enige was die raad mocht geven?

'Laten we eerst maar wat soldaten sturen,' zei hij hooghartig.

'Kanonnenvlees zijn we,' constateerden de soldaten.

Mmm... de raadsheer had gelijk, vond de koning. 'Hé, jij daar op f2, ga eens een stapje naar voren!' 1.) f2-f3,...

'Ik mag ook twee stappen, hoor,' antwoordde soldaat Ferdinand. Hij wou wel even laten merken dat hij de beginregel doorhad.

'Nee, we doen het rustig aan.' De koning was zeker van zijn zaak. 'Eén stap is meer dan voldoende.'

1.) ..., e7-e5 'Soldaat Emmy van e7 naar e5,' zei Sara met heldere stem. Emmy deed twee stappen naar voren. Ze was trots dat ze helemaal alleen in het midden van de binnenplaats stond. Niet alleen konden alle aanwezigen haar goed zien, maar ze kon

108 ook iedereen die in de buurt kwam gevangennemen.

De witte koning vond Sara erg stoer nu ze een soldaat zover het veld in stuurde. Dat kon hij ook.

2.) g2-g4,... 'Soldaat Gerrit van g2 naar g4.' Hij begon zowaar plezier te krijgen in het spel.

De lakei die voor koning speelde slaakte een kreet. Hij kon er niets aan doen, hij moest de koning waarschuwen.

'Uwe hoogheid, ik geloof niet dat dit eh... zo slim is.'

Nee maar! Een lakei die hem ging vertellen dat hij niet slim was! Het leek wel alsof iedereen dacht dat-ie zich met het spel mocht bemoeien.

'Wat is er nou weer?'

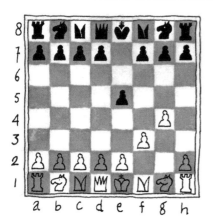

De lakei wees naar de zwarte tegels die in een diagonaal op hem afkwamen. 'U moet weten: ik sta op uw plek en er is een grote open gang naar mij toe en dan kan ik zo gevangengenomen worden.'

De koning keek naar de rij zwarte tegels die inderdaad naar de lakei toe liep. Nou en? Hij zag er het gevaar niet van in. Nog niet althans.

'Degene die jou gevangenneemt, slaan we tot moes. Ik heb mijn hele leger nog.' Hij moest er zelf hard om lachen.

2.) ..., Dd8-h4 Maar Sara zag het gevaar wel. 'Zwarte koningin van d8 naar h4,' zei ze met een klein lachje.

Oei, dit vond de zwarte koning niet leuk. Hij werd al onrustig als zijn vrouw twintig centimeter van hem vandaan was.

Laat staan als ze naar h4 ging, dat helemaal aan de andere
kant van de binnenplaats lag.

Gelukkig liet de zwarte koningin zich niet tegenhouden. Ze
gaf haar man een dikke kus en schommelde over de binnenplaats naar tegel h4.

'U staat schaak!' Het klonk enorm gewichtig. De zwarte koningin was zo trots als een pauw. Wat een enig spel!

Zoiets raars had de witte koning nog nooit gehoord. Schaak?
En waarom was dat mens zo trots?

'En wat mag dat dan wel betekenen: "U staat schaak"?'
vroeg hij verontwaardigd.

Het antwoord op deze vraag zou de koning niet leuk vinden,
dat wisten de witte onderdanen zeker. Ze keken laf naar de
witte koningin.

'Het betekent dat de zwarte koningin jouw koning gevangen
kan nemen,' zei ze moedig.

O ja. Nou... zo erg was dat toch niet? Hij was toch aan de
beurt?

'Haha. Weet je wat, dan nemen we haar eerst gevangen!'

'We kunnen haar niet gevangennemen,' zeiden zijn onderdanen in koor.

De witte koning moest even turen, maar zag toen dat ze ge-
lijk hadden. Niet in paniek raken, nu. Ah! Een idee!
'Weet je wat? Je gaat gewoon weg,' riep hij naar de lakei.
'Maar ik kan nergens heen,' antwoordde deze wanhopig.
Inderdaad! Vluchten kon niet meer. Die man was dan wel
iel, maar je kon niet zeggen dat hij dom was.
Gelukkig ben ik ook erg slim, dacht de witte koning en hij

zei: 'Wel alle bloemkolen, dan zetten we er iets tussen.'
Maar ook dit plannetje werd in de kiem gesmoord. Geen van

de witte onderdanen kon de schuine rij
van zwarte tegels tussen de zwarte koningin en de lakei bereiken.

De koning begon nu zo diep na te denken dat zijn wenkbrauwen in zijn ogen
hingen, en zelfs toen had hij nog niets
verzonnen. Hij boog zich naar de raadsheer; dat deed hij altijd in moeilijke si-
tuaties.

'Raadsheer, geef me de laatste analyse
van de situatie.'

'Hier kan ik kort over zijn, sire.' Het was niet altijd makkelijk om de waarheid te moeten zeggen 'U heeft verloren!' zei
de raadsheer plechtig.
Ai! Nu zou je de poppen aan het dansen hebben!
De hofdame werd zo zenuwachtig dat ze zich hikkend
moest afwenden, de paarden sloegen hun hoeven over hun
oren en de raadsheer wilde in de grond zakken.
Sara had spijt dat ze zo'n goede zet had gedaan.
'Ik... heb... verloren!' De koning zei het langzaam en angst-
aanjagend zachtjes.
De zwarte koning moest verlamd van angst zijn, anders was
hij wel naar zijn vrouw op h4 gerend.
De witte koning verhief zich. 'Ik heb verloren!' zei hij zo
hard dat de muren van het kasteel ervan trilden. Sommigen
vreesden dat het hele kasteel in zou storten. Zelfs de soldaten, die wel wat van hun koning gewend waren, doken ineen.

En toen gebeurde er iets wonderbaarlijks.

De koning begon opeens te schateren van het lachen. 'Maar we hebben plezier gehad, of niet soms?' bulderde hij vrolijk. Natuurlijk! Ja, ja... O, wat hadden ze ongelooflijk veel plezier gehad! Hahaha. Iedereen gluurde vanuit zijn ooghoeken opgelucht naar de koning.

Hij lag dubbel van het lachen.

'Stel je voor dat het echt oorlog was geweest, dat hadden we niet overleefd,' fluisterden de soldaten tegen elkaar. Ze waren maar wat blij dat hun koningin het spel bedacht had.

De zwarte koningin wandelde terug naar haar plaats. Ze werd onthaald met applaus. Ze vond het altijd heerlijk als ze werd toegejuicht, maar in dit geval ging de eer niet naar haar.

'Zij heeft het gedaan, hoor,' zei ze en ze wees naar Sara.

En toen begon het zwarte leger Sara toe te juichen.

Ze werd er verlegen van.

Even later kwam de witte koning naast haar zitten.

'Leuk spel, heel leuk! Zullen we nog een keer?' vroeg hij beleefd. Ze was dan wel klein, die Sara, maar hij kon nog veel van haar leren.

Sara knikte.

De witte koning keek haar onderzoekend aan. 'Stel nou dat jij mij af en toe laat winnen. Dat zou nog eens leuk zijn, hè?'

Sara moest lachen.

'Zeg nou zelf. Het is toch geweldig, als ik af en toe win?'

'Ja,' antwoordde Sara, 'dat zou heel leuk zijn.'

De koning grijnsde breed. 'Goed, dat is dan geregeld.'

De koningin glom van tevredenheid. Haar plannetje was gelukt: de koning dacht niet meer aan oorlog voeren.

19

112 Sara kwam de trap af. Het was bijna zes uur en haar moeder stond in de keuken te koken. Ze hoorde haar tegen grootvader praten.

'Ze schijnt verschrikkelijk brutaal te zijn tegen haar meester. Ik begrijp er niets van.'

Sara bleef staan.

'Misschien zit haar iets dwars,' probeerde grootvader.

'Ach, hoe kom je daar nu bij. Ik denk eerder dat ik niet streng genoeg ben. Sara is nooit de makkelijkste geweest.'

Sara draaide zich stilletjes om en ging weer naar boven, naar haar slaapkamer.

Ze zette de witte koningin in de vensterbank.

'Kijk, dit is mijn vader,' zei ze en ze liet haar de krantenartikelen over Bob Hooke zien.

'Jeetje, hij kan heel goed schaken hè, net als jij,' zei de koningin.

Sara glimlachte verlegen en pakte de aankondiging van de schaaksimultaanseance.

'O, dat is leuk... Gaan we meedoen?'

Sara liet de aankondiging zakken. Natuurlijk wilde ze meedoen, maar ze was zomaar uit de bijles weggelopen. De meester was vast woedend.

'Sara, je hebt me ontzettend goed geholpen, zonder jou was de koning oorlog gaan voeren. Ik ben ontzettend trots op je!'

Maar de koningin zag dat Sara niet helemaal overtuigd was.

'O, Sara, wat is er nou leuker dan iedereen te laten zien dat we goed kunnen schaken? De koning zal het heerlijk vinden. Hij kan er geen genoeg van krijgen en jij wilt toch ook meedoen?'

Sara knikte.

'Nou, dan gaan we schaken. En ik weet zeker dat je vader trots op je zal zijn.'

Sara kreeg een kleur. Ja, zou hij trots zijn?

De volgende dag zei de meester niets tegen Sara, de hele dag niet. Hij keek haar niet aan, gaf haar geen beurt, ook niet als ze haar vinger opstak. En als ze iets zei, deed hij alsof hij haar niet hoorde. Sara bestond niet voor hem.

Gelukkig was Victor op school. Hij keek af en toe naar haar om en als hij keek, grijnsde hij. Toch leek het alsof hij haar niet goed zag. Hij kneep met zijn ogen en zag er anders uit. Misschien zat de pet die hij bijna altijd op had, anders. Sara hoopte dat dat het was.

Het einde van de les naderde en de kinderen waren opgewonden. Vandaag gingen ze tegen de meester schaken.

Sara had haar eigen schaakbord bij zich. Ze ging ook meedoen. Het koninkrijk verheugde zich er enorm op.

Toen alle kinderen opstonden en de klas verlieten, bleef Sara zitten. Misschien zou de meester vragen waarom ze gisteren was weggelopen.

Victor bleef in de deuropening op haar wachten.

De meester vroeg hem: 'Ben je niet te moe om te schaken, Victor? Je vader heeft me gevraagd of ik je direct naar huis wil sturen als je te moe bent.'

Victor schrok, keek de meester overdreven energiek aan en zei dat hij echt totaal niet moe was. Voor de meester nog meer kon vragen liep hij door, naar de gymzaal.

De meester liep de klas weer in en zag Sara.

'Meneer?' zei ze voorzichtig.

Nu kon de meester niet meer doen alsof hij haar niet hoorde. Hij pakte zijn jasje van de stoel.

'Je kunt gaan, Sara. Ik help je niet meer.'

Sara draaide op haar stoel. Ze wist eigenlijk niet hoe ze het kon uitleggen. 'Ik ging gisteren zo snel weg...' begon ze.

'Ja, dat is wel goed,' zei de meester kortaf.

'Ik wil wel leren, meneer!' zei Sara teleurgesteld.

'Ja, dat is nu te laat. Ik help je niet meer.'

'Ik moest gisteren naar de koningin.' Ze schrok er zelf van dat ze het zei.

'Welke koningin?' vroeg de meester.

'De schaakkoningin. Ik heb samen met haar leren schaken.' Sara dacht dat ze het maar beter kon vertellen.

'Dus zo leer jij schaken. Met allemaal onzinverhaaltjes. Nou, ik wens je veel succes. Ik heb genoeg moeite gedaan om je te helpen. Het lijkt alleen maar averechts te werken. Je wordt steeds brutaler, loopt gewoon weg. Ik geef het op, Sara, en dat zal ik ook aan je moeder vertellen, dat dit geen zin heeft.'

Sara stond op. Ze wilde niet dat de meester weer naar haar moeder ging.

De meester keek om en zag Sara weglopen, met het schaakbord onder haar arm. Er waren niet veel kinderen die zo doorzetten. Hoe kwam ze er toch bij dat ze kon schaken? Hij schudde zijn hoofd.

In de gymzaal stonden wel vijfentwintig tafeltjes met schaakborden in een grote kring. Achter elk schaakbord zat een kind en de meester zou in zijn eentje tegen al die kinderen schaken.

Victor zat ook achter een schaakbord. Behalve de kinderen uit zijn eigen klas kende hij bijna niemand. De meesten waren groot en luidruchtig. Hij hield een plek naast zich vrij voor Sara. Maar waar was ze?

Hij had een beetje hoofdpijn. Als hij er niet aan dacht, zou het vast overgaan. Hij probeerde zich op zijn schaakbord te concentreren. Naast hem ging een meisje zitten, op Sara's plek. Ze pakte het kaartje voor het schaakbord en wilde haar naam erop schrijven.

'Hier zit Sara!' zei hij fel.

Mariette, die vlakbij hem zat, hoorde het. Haar vriendinnetje ook. Ze begonnen te giechelen. 'Victor is op Sara! Victor is op Sara.'

Victor stak zijn tong uit.

Gelukkig zag het meisje een andere plek, naast een vriendinnetje en rende ze daar naartoe.

Victor schreef alvast Sara's naam op het kaartje.

De meester kwam binnen. Hij klapte in zijn handen. Het werd stiller. De kinderen namen plaats achter hun schaakbord.

Victor keek naar de deur. Sara moest nu echt komen, anders mocht ze helemáál niet meer meedoen.

Alle aandacht was op de meester gevestigd. Hij was de enige die in het midden van de kring stond. Hij knikte naar een paar ouders die waren komen kijken en begon razendsnel de openingszetten op de schaakborden te doen. Het tempo gaf hem het gevoel een volleerd schaker te zijn. Hij ging er zo in op dat hij niet zag dat Sara in de deuropening verscheen.

Victor zag haar onmiddellijk en wenkte: ze kon hier zitten, naast hem.

Ze liep met grote stappen naar hem toe, het schaakbord stevig onder haar arm geklemd.

Nu merkten de andere kinderen haar ook op.

'Hé, meneer. Wat doet zij hier? Mag Sara meedoen?' Het kon Mariette blijkbaar niets schelen dat haar stem door de stille gymzaal schalde.

De meester keek op en zag Sara. Hij moest haar eigenlijk wegsturen. Maar dan was hij uit zijn concentratie. Hij gebaarde naar Mariette dat ze stil moest zijn.

'Sara poep kak pies doet ook mee,' zei een jongen.

Sara lette niet op hem. Ze ging naast Victor zitten en begon haar mooie schaakspel op te stellen.

Nu Sara er was, voelde Victor zich veel meer op zijn gemak. Hij keek om zich heen.

Alle ogen waren op Sara gericht. Een jongen stootte Mariette aan. 'Moet je kijken. Een kinderschaakspel,' zei hij en hij wees naar Sara's schaakspel.

Maar dat was... Mariette herkende het spel direct. Dat was het spel dat zij had willen kopen. Hoe kwam Sara eraan?

Ze hoorde de jongen naast zich lachen. 'Wat een stom spel, zeg,' proestte de jongen.

Mariette was ineens blij dat ze het niet gekocht had.

'Ja, wat een stom spel!' Ze keek tevreden naar haar eigen serieuze wedstrijdspel.

Sara merkte weinig van wat er om haar heen gebeurde.

De meester stond nu bij haar tafeltje. Hij kon zich niet voorstellen dat dit kind, dat zich nog geen seconde op zijn lessen concentreerde, kon schaken. Maar ja, ze was eigenwijs. Hij zou

haar eens laten zien wat schaken was. Waarom had ze nou weer zo'n idioot spel? Kon ze dan nooit eens iets normaal doen? Hij wenkte de conciërge.

'Hebben we geen gewoon schaakspel voor haar?'

De conciërge schudde zijn hoofd. Hij had net het laatste weggegeven.

De meester zuchtte. Sara zat over haar bord gebogen.

'Als nu blijkt dat je er niets van kan, wil ik er nooit meer iets over horen. Begrepen?'

Hij wachtte het antwoord niet eens af en schoof Eduard, de

1.) e2-e4,... witte soldaat, van e2 naar e4. En liep door naar het volgende bord.

Langzaam drong het tot Sara door. Nu moest ze de meester laten zien dat ze kon schaken!

20

Victor grijnsde van oor tot oor. De meester zou er eindelijk achter komen dat Sara goed kon schaken.

Sara durfde nauwelijks adem te halen.

Niets wist ze, helemaal niets. Ze zag poppetjes op zwarte en witte vlakken, maar verder...

Zie je wel. Ze kon niet schaken. Ja, tegen de vader van Victor, maar die had vast net gedaan alsof. Het viel haar ineens op dat de witte soldaat helemaal alleen in het midden van het bord stond. Soldaat Eduard had altijd haast, maar zou hij nu niet bang zijn?

'Je staat wel helemaal alleen, hè?' zei ze meelevend.

♕ Eduard rekte zich uit en keek vrolijk naar haar op.

'Nee hoor. Het is leuk hier.'

Sara zag dat de andere schaakstukken ook opkeken. De witte koning zwaaide uitgelaten. 'We gaan weer schaken, hè?'

Sara knikte en lachte tegelijk, zo blij was ze om iedereen te zien.

'Tegen wie gaan we schaken?' vroeg de koning zacht, alsof hij bang was dat de tegenstander hem zou horen.

'Tegen de meester,' antwoordde Sara vol afschuw.

'De meester? Wat is dat?' De koning vroeg het met zijn gebruikelijke verontwaardiging.

De koningin kwam erbij staan. 'Dat heb ik je toch al uitgelegd, lieve schat.'

De witte koning groef diep in zijn geheugen. 'O ja. Die man die alles beter weet. Nou, vermoeiend hoor.'

Soldaat Ferdinand wou iets vragen. 'Ik denk dat ik namens alle witte soldaten spreek als ik vraag of we nu een keer mogen winnen.'

De witte koning keek hem aan alsof hij water zag branden. Waar had die rare soldaat het over?

'Natuurlijk gaan we niet winnen. Sara moet winnen en zij speelt met zwart!'

'Maar...' Soldaat Ferdinand wou hier toch nog wel even iets tegen inbrengen maar zijn koning keek hem strijdlustig aan. 'Niets maar. Verliezen is helemaal niet erg!'

118

'Oh... eh... nou ja... als u het zo wilt zien...' Soldaat Ferdinand droop af.

Sara glimlachte. Zij was aan de beurt en herinnerde zich dat ze zo snel mogelijk moest zorgen dat de raadslieden en de koningin eruit konden. Ze schoof David, de zwarte soldaat, van d7 naar d5.

1.) ..., d7-d5

De zwarte soldaat David en witte soldaat Eduard kwamen schuin tegen over elkaar te staan. Eduard kon David zo gevangennemen.

♔ Help, dacht David, ik hoop dat Sara weet wat ze doet.

De meester hoefde meestal niet lang na te denken en deed snel zijn zetten. Hij stond alweer voor Sara's bord en zag dat ze d7-d5 had gedaan. Het hoefde geen domme zet te zijn. Maar Sara had nog maar net leren schaken en dan was het wel een domme zet. Als hij het slim speelde, kon hij binnen enkele zetten van haar winnen. Hij sloeg haar pion op d5.

2.) e4xd5,...

Mariette zag het. 'Ha, Sara heeft nu al een pion verloren!' riep ze spottend.

♔ De zwarte koning keek hulpeloos naar Sara. Hij kreeg er pijn in zijn nek van, zover moest hij naar haar opkijken. 'Zeg, Sara. Gaat dit wel goed zo?'

Zijn vrouw zei dat hij zich geen zorgen hoefde te maken.

Ze was, sinds ze de witte koning schaak had gezet, verbazingwekkend goed in het spel geworden, vond ze.

'Zal ik Eduard op d5 gevangennemen?' vroeg ze professioneel.

Sara schudde haar hoofd. Dat was nu niet zo'n goed idee.

De zwarte koning geloofde zijn oren niet. Waarom was dat nou weer geen goed idee? Als ze de soldaat gevangennam, stonden ze tenminste weer gelijk! Hij keek naar zijn vrouw.

Tot zijn verbazing was die het plotseling weer met Sara eens.

'Nee, Sara heeft gelijk,' verklaarde ze. 'Stel je voor dat ik de soldaat op d5 gevangen neem. Zie je dat witte paard daar? Op b1? Nou, dan gaat dat natuurlijk naar c3 en dan moet ik weer weg. Of wou je me soms door hem gevangen laten nemen?' Ze glimlachte lieftallig.

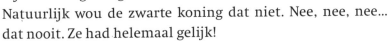

Zijn vrouw gevangen laten nemen? Natuurlijk wou de zwarte koning dat niet. Nee, nee, nee... dat nooit. Ze had helemaal gelijk!

Het zwarte paard Kasper begon te trappelen. Hij wou niets liever dan achter de linies vandaan komen. Bovendien zag hij dat hij de witte soldaat op d5 kon aanvallen. Hij gebaarde wild naar Sara.

Sara begreep wat hij bedoelde. Dat was nog eens een goed ♔ idee.

2.) ..., Pg8-f6

Ze wachtte netjes tot de meester voor haar schaakbord stond. En toen zette ze Kasper, het zwarte paard, van g8 naar f6.

Het verbaasde de meester dat Sara zijn pion niet sloeg. Elke beginnende speler zou dat gedaan hebben. Was ze wel een beginner? Ach, natuurlijk was ze een beginner. Maar nu moest hij wel iets doen, want zijn pion op d5 stond aangevallen. Hij

3.) c2-c4,...

schoof de pion van c2 naar c4.

♔ Soldaat Eduard was dolblij dat hij verdedigd werd. De witte raadsheer was ook tevreden, maar om een andere reden. Hij vond dat Sara het erg goed deed.
'Nu blijven aanvallen, Sara! Blijven aanvallen en tegelijkertijd je eigen linies verstevigen, dat is het mooiste.'
Sara glimlachte. Ze dacht dat ze begreep wat hij bedoelde.

De schaakstukken van Sara's schaakspel hoorden de kinderen in de gymzaal praten. De raadsheer stootte het paard naast hem aan. Hoorde hij het ook? Ze noemden hem, de raadsheer, een loper! Een loper, wat was nou een loper?
Soldaat Ferdinand keek naar hem om. 'Heeft u gehoord hoe ze ons noemen?' vroeg hij verontwaardigd.
De raadsheer schudde zijn hoofd.
'Pionnen. Nou vraag ik je! Pionnen!'
De raadsheer dacht erover na. Ach, misschien hadden de mensen wel gelijk. Waarom iemand een soldaat noemen als hij nooit vecht? En wat hemzelf betrof: hij was eigenlijk wel een loper. Wandelaar was beschaafder geweest, maar ja, van beschaving kon je in het geval van mensen misschien niet ♔ spreken.

De meester stond alweer voor Sara's schaakbord. Ze deed haar

3.) ..., c7-c6

zet en schoof Cynthia, de zwarte soldaat, van c7 naar c6.

♛ Vertwijfeld sloeg de zwarte koning zijn handen voor zijn gezicht. Nu kon zijn soldaat op c6 weer gevangengenomen worden. O, o, die Sara. Ze lette helemaal niet op. Zo meteen waren ze nóg een soldaat kwijt.

Kim, het andere zwarte paard, begon te trappelen.

'Hinnik! Als de meester de soldaat gevangenneemt, dan neem ik meteen de zijne gevangen. En dan sta ik op een goed veld. De meester heeft dan nog geen van zijn officieren in stelling gebracht. Laat hem maar slaan,' hinnikte ze enthousiast.

Nog steeds begreep de zwarte koning er weinig van. Het paard en de soldaten deden het voor.

En inderdaad. Het was een goede zet. Het zwarte front bracht op die manier twee paarden voor de linies en het witte front niet één. ♛

Deze partij moest zo snel mogelijk afgelopen zijn, dacht de meester, bij Sara's bord staand. Hij besloot dit keer Sara's pion niet te slaan maar schoof de witte koningin resoluut naar a4. 4.) Dd1-a4,... Het scheelde nu niet veel of hij kon de zwarte koning schaak zetten. Eén foutje van Sara en ze zou verliezen. Tevreden liep hij door.

21

122 ♛ De zwarte koning zag dat er alleen nog maar één soldaat tussen hem en de witte koningin stond. Als die weg moest, of

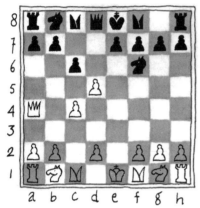

zelf gevangengenomen werd...
'Sara, straks neemt de witte koningin me gevangen!' riep hij angstig.
De witte koningin glimlachte. 'Ach, welnee. De meester maakt een hele grote fout, de grootste fout die je kan maken. Hij onderschat zijn tegenstander.'
Ja, ze had mooi praten, maar hij wou dat zijn zwarte hofdame ertussen kwam staan.

De meester stond bij Mariettes schaakbord. Ze schaakte goed.
'Je maakt het me wel moeilijk, Mariette!' zei hij vriendelijk en hij deed een zet. Deze partij had hij tenminste onder controle. Mariette speelde precies zoals hij het haar geleerd had.

De conciërge maakte alvast drie kolommen op het schoolbord. Met grote letters schreef hij er GEWONNEN, REMISE en VERLOREN boven. De laatste kolom zou weer vol namen komen te staan, dat was elk jaar zo, en de eerste kolom zou ook dit jaar wel weer leeg blijven.

♛ Sara merkte dat de zwarte koning zich bedreigd voelde. Hij had vele oorlogen gevoerd en wist heus wel wanneer er gevaar dreigde. Daarom schoof ze, toen de meester weer bij haar schaakbord stond, de zwarte hofdame naar d7, naar de

4.) ..., Lc8-d7 plek die de zwarte koning aangewezen had.
♛ De zwarte koning keek haar dankbaar aan.

De meester was verbijsterd. Alweer haalde ze zijn plan onderuit. Hij besloot zich niet van de wijs te laten brengen en sloeg de pion op c6.

5.) d5xc6,...

Mariette, die voortdurend op Sara lette, zag dat de meester weer een pion geslagen had. Ze moest hard lachen en zei: 'Ha! Je kan beter opgeven. Zo'n achterstand haal je nooit meer in.'

Sara luisterde er niet naar.

Victor keek op. Stond Sara alweer een pion achter? Ze lette toch wel op?

♕ De zwarte soldaten langs de kant hadden ook gehoord wat Mariette zei. Ze waren het gloeiend met haar eens. Sara zou absoluut verliezen zonder hen.

Maar Kim, de zwarte merrie, zag het niet zo somber in, integendeel. Ze had het gevoel dat het spel nu pas begon.

'Zo meteen mag ik, hè?'

♕ Sara glimlachte. 'Ja, jij mag!'

Ze zei het zo enthousiast dat iedereen in de gymzaal het kon horen.

Mariette stootte het meisje naast haar aan. 'Moet je horen. Sara praat tegen haar schaakspel.'

'Ja, wat een debiel kind zeg!'

De meester bleef bij Peter, een jongetje uit Sara's klas, staan.

Peter was geen schaker. Hij had gedurende de hele wedstrijd misschien twee minuten naar zijn schaakbord gekeken. De rest van de tijd trok hij gekke bekken naar de andere kinderen.

Maar hij vond het toch niet leuk dat hij van de meester verloor. Hij keek nors naar zijn bord.

'Als je verliest, hoor je je tegenstander een hand te geven, Peter,' zei de meester geduldig.

Peter stak met tegenzin zijn hand uit en schudde die van de meester.

De conciërge schreef Peters naam in de kolom van VERLOREN partijen.

5.) ..., Pb8xc6   Sara pakte het zwarte paard en sloeg de pion op c6.

De meester moest toegeven dat het een goeie zet was. Over het algemeen speelde Sara trouwens absoluut niet slecht. Ze had bijvoorbeeld veel meer stukken in het spel gebracht, dan hij.

'Het lijkt heel wat hè, Sara?' zei hij. Hij gokte er nog steeds op dat Sara maar wat deed en hoopte op een snelle overwin-

6.) Da4-b3,...   ning. Hij schoof zijn witte koningin van a4 naar b3.

♕ De witte paarden werden steeds bozer. Ze stonden te trappelen om iets te doen, maar wat ze ook deden, de meester zag of hoorde hen niet. Zelfs de hofdame en de raadsheer hadden geen stap verzet. De hofdame was nog het meest in haar wiek geschoten.

'Hij denkt het af te kunnen met de koningin. Persoonlijk zou ik dat toch heel anders aanpakken,' zei ze snibbig.

De zwarte koning zag dat de witte koningin gevaarlijk dicht naderde.

'Sara, wat nu?' vroeg hij angstig.

Sara boog zich naar hem toe. 'Paard Kim gaat straks naar d4,' fluisterde ze.

Kim hinnikte van opwinding. 'O... ik mag de koningin aanvallen!' Ze wilde springen van geluk.

Sara genoot.

'Ja, val mij maar aan,' zei de witte koningin lachend.

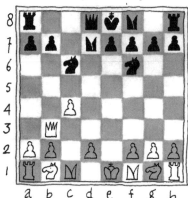

De zwarte koning stootte zijn vrouw aan. Hij wees naar de witte koningin op b3.

'En wat nou als de witte koningin onze Bolke gevangenneemt?'

Paard Kim hoorde wat de zwarte koning zei. Ze schudde heftig met haar hoofd. 'Ha, als ze dat doet zet ik de witte koning schaak op c2.'

Kim en de witte koningin deden het voor, zodat Bolke en de zwarte koning het zouden begrijpen.

Bolke had als eerste door dat hun zwarte paard op c2 niet alleen de witte koning schaak zette, maar ook nog eens de witte toren gevangen kon nemen. Hij sloeg op zijn dijen van pret.

De zwarte koning was nu ook gerustgesteld, en meer dan dat. Hij begon te genieten van de mogelijkheden die hij ineens leek te hebben. Hij hoopte dat de meester zo dom zou ♕ zijn Bolke gevangen te nemen.

Peter, de jongen die net verloren had, keek naar Sara's schaakbord. Hij zag dat Sara een pion achter stond. Jeetje. Hij probeerde de aandacht van zijn vriendjes aan de andere kant van de zaal te trekken. 'Ha, moet je kijken. Sara poep pies kak gaat verliezen!'

De meester keek boos op. Zo kon hij zich niet concentreren. 'Stil!' zei hij kortaf.

Peter trok aan Sara's haar en rende naar de andere kant van de gymzaal. Sara merkte het niet, ze was verdiept in haar spel.

De meester controleerde of hij de verschillende mogelijkheden in zijn partij tegen Victor wel goed had overwogen. Hierna deed hij zijn zet en liep door naar Sara.

♛ Het grote moment voor de zwarte merrie Kim was aangebroken. Sara zette haar van c6 naar d4. De witte koningin werd
♛ nu door het paard aangevallen.

6.) ...,Pc6-d4

De meester zag het. Ah, hij kon de pion op b7 slaan. Mooi, nog
een pion... Net op tijd besefte hij dat het toch niet zo'n goed
idee was. Hij schoof de witte koningin naar c3. Hij wilde graag
weten wat Sara's volgende zet zou zijn, maar hij kon moeilijk
blijven wachten.

7.) Db3-c3,...

126

♛ Soldaat Bolke vond het jammer dat hij niet gevangengenomen was door de meester. Nou ja, volgende keer beter.
'Straks neemt de witte koningin jou gevangen,' fluisterde
Dirk, de witte soldaat, in Kims oor.
'Nee hoor! Sara stuurt versterking!' antwoordde de zwarte
merrie zelfverzekerd.
De zwarte raadsheer vond het tijd worden om ook eens raad
te geven. 'Soldaat Emmy, ga jij maar, dan kan ik er tenminste
♛ uit,' zei hij slaperig.

De meester bedacht tevreden dat tot nu toe geen enkel kind in
staat was geweest van hem te winnen, zelfs Victor niet.
Het was de eerste keer dat hij Sara geconcentreerd zag. Anders schoof ze voortdurend in haar stoel heen en weer en keek
ze om de haverklap naar buiten, maar nu zat ze met rode wangen over haar schaakbord gebogen. Ze duwde haar zwarte pion
van e7 naar e5.
Jammer! Nu kon hij het zwarte paard niet gevangennemen!
De meester besloot dan maar de pion van f2 naar voren te zetten. Op die manier viel hij Sara's pion op e5 aan. Hopelijk tuin-
de ze erin en zou ze zijn pion slaan. Maar eigenlijk wist hij wel
beter.

7.) ..., e7-e5

8.) f2-f4,...

Alleen Mariette, Sara, Victor en een jongen uit een andere klas
schaakten nog. Alle andere kinderen hadden inmiddels verloren.

Mariette schoof een pion naar voren. Ze had niet in de gaten dat hierdoor haar koningin geslagen kon worden.

De meester aarzelde geen seconde en zette zonder pardon Mariettes koningin naast het bord. Zo! Deze partij was ook gewonnen.

'O jeetje, dat zag ik niet, meneer. Mag ik nog terug?' vroeg Mariette geschrokken.

'We moeten ons aan de regels houden, Mariette.'

'Heb ik nu verloren?' Ze kon het bijna niet geloven.

'Ja, zonder koningin is het hopeloos.'

Mariette keek beteuterd. 'Mag ik nu morgen ook niet meedoen tegen Bob Hooke?'

De meester dacht na. Mariette die niet meedeed tegen Bob Hooke? Ze was zijn beste leerling. Hij had haar persoonlijk leren schaken.

'Natuurlijk wel. Zo'n fout kan iedereen overkomen, maar je moet beloven dat je tegen Bob Hooke beter speelt.'

Mariette sprong verheugd uit haar stoel. 'Ik mag meedoen. Ik mag meedoen,' schreeuwde ze bijna.

De meester gebaarde dat ze stil moest zijn. Er zaten nog andere kinderen te schaken.

22

128 Er was eigenlijk maar één partij waar de meester moeite mee had en dat was de partij tegen Sara. Hij zou zich er eens goed op concentreren. Ook Sara zou erachter komen wie hier de sterkste was. En als *zij* verloor, mocht ze natuurlijk niet tegen Bob Hooke schaken, dat was duidelijk.

O ja, Victor. Victor speelde ook nog. Geen makkelijke partij, maar wel helder. Die jongen kon het. De meester deed snel een zet en liep door naar Sara.

Sara wist precies wat ze ging doen. Ze schoof haar zwarte loper naar b4.

8.) ..., Lf8-b4

♕ 'Heel goed, jaag mij maar op.' De witte koningin was tevreden.

De zwarte raadsheer boog zich naar haar toe. 'Ik hoop dat u mij gevangenneemt,' zei hij ondeugend.

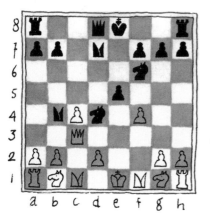

De witte koningin glimlachte. 'Zodat paard Kim naar c2 kan, zeker.'

De zwarte raadsheer knikte minzaam. Wat was de witte koningin toch slim én mooi!

Het zwarte paard snoof van plezier. 'Als ik daar sta, zet ik de koning schaak en als die dan weggaat, kan ik de witte toren gevangennemen, maar ook... de witte koningin. Hinnik hinnik hinnik.'

De witte koningin keek naar Sara. 'Jammer, maar zo dom zal de meester wel niet zijn.'

♕ Sara dacht ook van niet.

En inderdaad, de meester sloeg de loper niet. Het verbaasde hem dat Sara zo'n slim plan had. Ze begon steeds beter te spelen. Niet te lang bij stilstaan! Het belangrijkste was dat hij zijn koningin in veiligheid bracht. Hij schoof haar naar d3.

9.) Dc3-d3,...

De zwarte hofdame zwaaide naar Sara. Ze hoopte zo dat ze nu ook wat mocht doen.
'Mag ik de koningin nu opjagen?'
'Ja, dat is een goed idee!' zei Sara vrolijk.

Ook nu weer zei Sara het veel te hard. De meester, die doorgelopen was, keek om. Enkele kinderen begonnen haar uit te lachen.

Sara reageerde niet. Op haar schaakbord was het veel spannender en leuker dan in de zaal.

Omdat ze een van de weinigen was die nog niet verloren had, kwamen er kinderen achter haar staan kijken. Mariette wrong zich ertussen. Sara stond nog steeds een pion achter. Zo goed speelde ze dus ook weer niet.

De meester deed snel een zet in de partij tegen Victor en liep naar Sara.

9.) ..., Ld7-f5   Sara zette haar zwarte loper naar f5.

10.) Dd3-g3,...   De meester schoof zuchtend zijn koningin naar g3. Weer een gedwongen zet! Dat was nog het vervelendste, dat hij voortdurend zijn koningin in veiligheid moest brengen.

130   ♛ De witte koningin vond dat de meester er een uiterst merkwaardige speelstijl op na hield. Zij was de enige die voor de linies stond. De paarden, de raadsheer, de hofdame, niemand behalve enkele soldaten had nog iets gedaan. Het zwarte paard Kasper vond het helemaal niet erg. Hij hoopte dat hij nu snel zijn kunsten mocht laten zien. e4 leek hem ♛ een erg goed plekje.

Het werd druk rond Sara's schaakbord. De meester keek zorgelijk. Zelfs de kinderen merkten dat hij het niet makkelijk had.

10.) ..., Pf6-e4   Sara zette het zwarte paard inderdaad naar e4.
De meester grijnsde. Hij zag een mogelijkheid om in één klap van deze irritante partij af te zijn. Hij schoof zijn witte ko-

11.) Dg3xg7,...   ningin helemaal naar voren, naar het zwarte front en sloeg

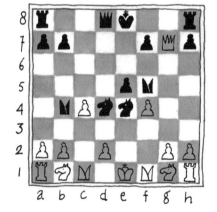

daar weer een pion van Sara.
Mariette was de enige die doorhad wat de gevolgen waren.
'Moet je kijken. Straks slaat hij de toren. Nu staat ze verloren.'

♛ En inderdaad. De zwarte toren keek recht in het gezicht van de witte koningin. Die hoefde maar even schuin opzij te stappen en hij was gevangen.
'O, o. Wel opletten daar,' zei hij.

Kasper, het zwarte paard, vond het prachtig.
♛ 'Zullen we de koning nu maar schaak zetten?'

11.) ..., Pd4-c2†   Sara zette het zwarte paard van d4 naar c2.

'Schaak,' fluisterde ze.

'Ja, dat zie ik ook wel.' Natuurlijk zag hij het. Wat een partij! Nu moest hij zijn koning weer in veiligheid brengen. Dan maar naar e2. Maar daarna zou hij toch echt Sara's toren slaan.

12.) Ke1-e2,...

De meester besloot de partij tegen Victor af te ronden. Hij bood hem remise aan.

'Maar ik sta verloren.' Victor begreep er niets van.

131

Het geduld van de meester was echt op. 'Remise?' herhaalde hij dwingend.

Victor vond het allang best. Remise was beter dan verliezen. Hij stak zijn hand uit. 'Oké!'

De meester schudde hem gehaast de hand en liep door.

Terwijl de VERLOREN kolom behoorlijk gevuld geraakt was, prijkte Victors naam samen met die van een andere jongen in de REMISE kolom. Alleen de kolom GEWONNEN was nog helemaal leeg.

De meester stond weer bij Sara's schaakbord.

♕ 'Zullen we dan maar?' zei Sara.

De meester wist zeker dat ze het deed om hem te ergeren.

Maar Sara zei het omdat ze samen met de zwarte koningin een plannetje had.

♕ 'Jullie gaan toch niet iets stoms doen, hè?' De zwarte koning had het niet zo op slimme plannetjes.

Zijn vrouw probeerde hem te kalmeren. 'Het lijkt misschien stom, maar of het ook stom is...'

Dit klonk de zwarte koning allesbehalve geruststellend in de oren. Hij was ervan overtuigd dat er iets verschrikkelijks
♕ ging gebeuren. Hij sloot zijn ogen en wendde zich af.

Sara pakte de zwarte koningin en schoof haar naar d3.

12.) ..., Dd8-d3†

Heel goed! dacht de meester. Eindelijk!

Victor schrok. Hij keek naar Sara. Zou ze niet zien dat de

meester haar koningin kon slaan? Nu had ze verloren.

Met zichtbaar genoegen sloeg de meester Sara's koningin

13.) Ke2xd3,... van het bord.

 Voorzichtig opende de zwarte koning zijn ogen. Toen hij zijn vrouw naast het bord zag staan, stortte zijn wereld in. Hij keek radeloos naar Sara. 'Waarom doe je dat nou? Nu hebben we verloren!!'

Iedereen op het schaakbord kreeg er kippenvel van, zo hartverscheurend klonk het. Zelfs Sara kreeg pijn in haar buik.

Een grote rust kwam over Mariette.

'Zie je wel, dat had ik ook. Nu heeft ze verloren. Zij doet het nog stommer dan ik.'

Mariette trok haar vriendinnetje mee. Ze liepen bij het schaakbord weg en gingen achter in de zaal op een bankje bij haar moeder zitten. Straks zou de meester vertellen wie er allemaal mee mochten doen tegen Bob Hooke en dan zou zij wel mee mogen doen en Sara niet, dacht Mariette tevreden.

Sara kreeg het verschrikkelijk warm. Ze had een plannetje, echt waar. Ze had een plannetje.

23

Sara zat diep over haar schaakbord gebogen. Victor probeerde haar gezicht te zien, maar zag alleen maar haren. Ze speelde eerst zo goed en toen liet ze opeens haar koningin gevangennemen. Nu mocht ze morgen ook niet tegen Bob Hooke schaken. Zou ze huilen? Victor had Sara nog nooit zien huilen. Ze keek meestal met grote, glanzende, enigszins vragende ogen. Hij wilde het liefst zijn arm om haar heen slaan.

Sara's ogen schoten razendsnel over het schaakbord. Straks klopte er niets van wat ze had bedacht... Zou ze zich vergist hebben?

♛ De spanning op het schaakbord was te snijden. Het zwarte paard Kasper kuchte even en vroeg toen zacht en behoedzaam of hij nu misschien naar g3 mocht.

♛ Sara knikte.

De meester wilde Sara's toren slaan om vervolgens haar koning naar voren te drijven. Hierna was het allemaal eenvoudig. In een paar zetten zou hij van haar winnen. Natuurlijk zou ze niet uit zichzelf opgeven, dat deden beginnende spelers nooit. Ze zagen meestal niet eens dat ze verloren hadden.

Hij werd ongeduldig. Hè, hè. Ze deed haar zet. Het werd tijd.

♛ Sara zette het zwarte paard Kasper naar g3.   13.) ..., Pe4-g3†

De meester hoorde Sara 'Schaak' zeggen. Vermoeiend hoor! Ze zette hem weer schaak.

'Ja, dat zie ik ook wel!' zei hij veel te kortaf. Het arme kind kon er ook niets aan doen. Als je op je eigen houtje leerde schaken, kreeg je nou eenmaal een rare, onvoorspelbare speelstijl. Het was wel enorm irritant. Nu moest hij, voor zijn koningin aan haar zegetocht kon beginnen, zijn koning weer in veiligheid brengen.

Eens even kijken. Waar zou hij de koning zetten? Weer terug naar e2? Nee, dat kon niet! De andere kant op dan? Hij voelde het bloed naar zijn gezicht stijgen. Nee, dat kon ook niet... En naar... Nee, dat was onmogelijk. Zijn ogen tastten angstig de omgeving van de koning af.

Victor zag het, zelfs de conciërge, die erbij kwam staan, zag het. Iedereen zag het eigenlijk. De meester natuurlijk ook, alleen: hij hoopte dat hij het fout zag.

Victor had nog nooit iemand zó zien schaken. Hij dacht echt dat Sara verloren had en nu... Ze had iedereen voor de gek gehouden.

♔ De witte koning werd steeds uitgelatener. Voor de zekerheid begon hij de velden om zich heen te controleren.

'Kijk! Op c3 kan de zwarte raadsheer me gevangennemen.'

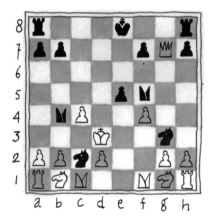

De zwarte raadsheer maakte een diepe buiging.

'En hier kan ik door die soldaat gevangengenomen worden,' zei de koning vanaf d4. Emmy, de zwarte soldaat, zwaaide vrolijk naar Sara.

De koning sprong naar e4, knipoogde naar de zwarte hofdame. 'En hier door deze charmante dame.'

De hofdame kreeg er een kleur van.

De koning glunderde. Hij was onweerstaanbaar, dat wist-ie zelf maar al te goed. Vol zelfvertrouwen ging hij verder naar e3. 'Hier door het paard, en als ik op e2 ga staan, word ik door het andere paard gevangengenomen. Het is geweldig... een wonder!' Hij wist het nu zeker, hij hoefde het niet eens aan zijn raadsheer te vragen.

'Ik sta verloren, echt helemaal totaal en volledig verloren.'

De anderen waren het volkomen met hem eens. De koning kon geen kant op. Erger verliezen kon bijna niet.

De koning schaterde het uit, zo amusant vond hij het.

De raadsheer kromp ineen. Het bleef ongepast om zo blij te zijn als je verloor.

Hoe kon hij nou ineens verloren staan? Wat had hij fout gedaan?

De meester besefte dat het een verloren zaak was. Hij stond mat. Vanavond, als hij alleen was, zou hij de partij nog eens naspelen.* Maar nu moest hij iets doen, anders zouden ze nog denken dat hij niet doorhad dat hij verloren stond. Het ergste was dat hij dat kleine meisje tegenover hem een hand moest geven...

Zo nonchalant mogelijk legde hij de witte koning om.

Misschien is het in de mensenwereld heel normaal om de koning om te leggen, maar op het schaakbord sloeg dit gebaar in als een bom. De witte koning stond net te vertellen dat verliezen niet erg is, als je er maar van leert. Opeens rolde hij met grote vaart over het bord. Zoiets was hem nou nog nooit overkomen. Zijn onderdanen kwamen geschrokken naar hem toe rennen.

'U mag de koning niet omgooien,' riep Sara boos naar de meester.

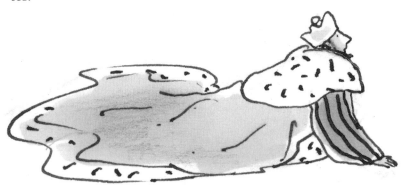

* zie p. 178

'Dat hoort zo, als je opgeeft,' zei de meester geprikkeld.
Sara keek hem woedend aan.

♕ De koning klauterde overeind. Ja zeg! Op die manier was verliezen inderdaad niet leuk. Hij keek op naar de meester.
♕ 'Was dat nou nodig?'

Maar de meester hoorde hem natuurlijk niet.
'Sara, je hebt gewonnen,' zei Victor.
Ze keek naar de koning en zag dat hij alweer druk pratend over het schaakbord liep. Ze lachte.
De meester stak zijn hand naar haar uit. 'Gefeliciteerd,' zei hij zuinig. Hij toverde een glimlach op zijn gezicht en liep weg, blij dat hij ervan af was.

Ongewoon fel klapte hij even later in zijn handen. Het werd stil in de zaal. De kinderen stormden op hem af. Ze wilden weten wie er mee mocht doen tegen Bob Hooke.
'Mariette, Victor, Thomas en... Sara mogen morgen meedoen aan de schaaksimultaanseance tegen Bob Hooke,' zei de mees-ter alsof het de normaalste zaak van de wereld was.
'Hè?' zei Mariette verbaasd. 'Mag Sara meedoen?'
Ze had toch zeker verloren, net als zij? Niet? Dan had Victor haar vast en zeker geholpen. Goh, wat kinderachtig zeg.
'Sara, kijk eens!' De conciërge wees naar het scorebord.
Ze keek om en zag haar naam eenzaam in de kolom GEWON-NEN staan.
'Je bent de enige die gewonnen heeft,' zei hij. 'Gefeliciteerd, hoor.'
Sara keek naar Victor, die haar zo blij aankeek dat ze wel moest lachen. Nu pas besefte ze dat ze dus ook tegen Bob Hooke mocht schaken.
'Mag ik meedoen? Mag het echt?' vroeg ze bijna onthutst.
Victor knikte.
Sara pakte de koningin van het schaakbord en hield haar dicht tegen zich aan. 'We mogen meedoen,' fluisterde ze zacht. 'We mogen meedoen!'

24

Sara rende haar grootvaders studeerkamer in. Deze stak zoals gewoonlijk zijn hand op, ondertussen verder lezend. Sara wilde iets zeggen. Ze trok aan zijn trui. Ze had gewonnen van de meester. Ze had geschaakt en gewonnen. Op en neer springend danste ze om hem heen.

'Wat is er, Sara?' Haar grootvader keek zowaar op van zijn boek.

'Opa, opa!' Veel verder kwam ze niet.

Het kind wist zelf niet eens waarom ze blij was, dacht hij. Nou, hij wist het wel. 'De zon schijnt, hè?' zei hij en hij las weer verder.

Haar moeder kwam thuis.

'Mam!'

'Ja, wat is er, Saar?' Haar moeder had haar armen vol met boodschappen.

'Mam!' zei Sara nog eens.

Haar moeder liep door en zei: 'Was het leuk op school? Daar ben ik blij om.' Ze verdween in de keuken.

Sara rende de trap op. Ze kon het niet zeggen.

Haar plakboek was uitgegroeid tot een heel dagboek. Alles wat ze leuk of stom vond, schreef ze erin en illustreerde ze met plaatjes die ze zelf tekende of uitgeknipt had.

IK MAG MEEDOEN! schreef ze nu met uitbundige letters naast de aankondiging van de schaaksimultaanseance tegen Bob Hooke.

De koningin keek vanaf de vensterbank toe. Het was heerlijk als Sara blij was.

Sara bestudeerde de aankondiging nog eens goed. Morgen ging ze tegen hem schaken, tegen haar eigen vader.

Die avond keken Sara en haar grootvader weer televisie. Grootvader schakelde over naar een ander net en de verslaggever van het Westeinde-schaaktoernooi verscheen in beeld. Sara kroop meteen dichterbij.

'Vandaag is de laatste partij in het Westeinde-schaaktoernooi gespeeld en ook nu weer is Bob Hooke als grote overwinnaar uit de strijd gekomen.'

Bob Hooke verscheen in beeld. Hij keek een beetje verlegen in de camera. Sara hield haar adem in.

Haar grootvader fronste zijn wenkbrauwen. Die Bob Hooke had iets bekends. Iets in zijn houding of zijn manier van lopen, en hoe hij de camera in keek...

De verslaggever begon opgewekt vragen te stellen.

'Heel hartelijk gefeliciteerd met uw overwinning. En wat zijn nu uw plannen, na dit toernooi? Blijft u nog een tijdje in Nederland?'

'Môre gaan ak vir die eerste keer in 'n lang tyd terug huis toe, na my familie,' antwoordde Bob Hooke beleefd in het Zuid-Afrikaans.

Sara vond het mooi klinken. Ze wilde ook Zuid-Afrikaans leren.

'Ah. U heeft vrouw en kinderen in Zuid-Afrika?' De verslaggever hoopte eindelijk eens iets persoonlijks te weten te komen over deze schaker.

Sara luisterde gespannen. Zou haar vader met een andere vrouw getrouwd zijn en nog meer kinderen...? Sara was bang dat haar moeder de kamer in zou komen en de televisie uitzetten. Ze schoof nog dichter naar het toestel.

Maar Sara's moeder was helemaal niet van plan om binnen te komen. Ze stond in de gang en was net als Sara benieuwd naar het antwoord.

Bob Hooke glimlachte verlegen. 'Nee, ek is nie getroud nie, ek het nie kinders nie. Ek het nog nie sover gedink nie.'

En ik dan? schoot het door Sara's hoofd. Zij was toch een kind, zijn kind. Of was hij haar vader helemaal niet? Het begon haar te duizelen.

'Maar?' De verslaggever probeerde Bob Hooke nog meer te laten vertellen.

Sara's grootvader gooide boos de krant op de grond.

'Antwoord toch niet op die idiote vragen,' riep hij geërgerd.

Bob Hooke werd inderdaad verlegen, maar wilde eerlijk zijn.

'Geen gemaar nie. Nadat die beste vrou in die wêreld my afgesê het, het ek opgegee.'

Sara's moeder boog haar hoofd; onwillekeurig ging haar hand naar haar armbandje.

Bob Hooke maakte duidelijk dat hij verder geen vragen meer wilde beantwoorden. Daarom richtte de verslaggever zich tot de kijkers thuis. Bob Hooke was dan wel ongelukkig in de liefde, maar gelukkig in het spel, zei hij. En: 'Morgen geeft Bob Hooke voor hij teruggaat naar Zuid-Afrika nog een simultaanseance. Dus iedereen die geïnteresseerd is kan komen kijken.'

Grootvader tikte Sara op de rug. 'Hé, dat is wat voor jou, Sara. Jij bent toch ook aan het schaken?'

Op dat moment kwam haar moeder de kamer in. Ze was nerveus; ze had gehoord wat hij zei en één ding was zeker: ze moest voorkomen dat Sara naar de schaaksimultaanseance ging.

'Ik neem morgen vrij en dan gaan we naar de dierentuin en daarna de stad in. We hebben al zo lang niets meer samen gedaan. Ik heb er ontzettend veel zin in. Jij ook?' zei ze. Haar stem klonk vreemd; hoog en gespannen.

Sara antwoordde niet. Haar moeders woorden drongen nauwelijks tot haar door.

Nee, ek is nie getroud nie, ek het nie kinders nie, dreunde het door haar hoofd.

♜ De binnenplaats van het paleis lag er verlaten bij in het maanlicht.

'Wat is er, Sara?' De koningin hurkte bezorgd voor haar neer.

Sara voelde zich dommer dan ooit. Bob Hooke was haar vader helemaal niet. Hoe moest ze het uitleggen? De koningin
zou haar vast een opschepster vinden!
'Ik kan niet,' zei ze met een klein stemmetje.
'Wat kan je niet?'
'Schaken, morgen...' Ze durfde de koningin nauwelijks aan
te kijken.
De koningin was inderdaad nogal verbaasd. 'Kun je morgen
niet schaken? En je vader dan?'
De raadsheer had in een zijgang staan luisteren en vond het
tijd worden voor goede raad. 'Als ik iets zeggen mag...' Hij
kwam de binnenplaats op. 'Sara heeft misschien wel gelijk
als ze niet tegen zo'n beroemde schaker wil spelen.'
Hij dacht dat Sara niet durfde omdat ze bang was dat ze niet
goed genoeg was.
'De meester speelde nou niet bepaald slim. Ik bedoel, die
man luistert helemaal niet en je mag er niet vanuit gaan dat
iedereen zo dom speelt,' betoogde hij.
De koningin maakte met een gebaar duidelijk dat hij Sara
niet moest ontmoedigen. Maar de raadsheer wou Sara niet
ontmoedigen. Hij wou realistisch zijn. De meester had im-

mers laten zien waar overmoed toe leidde.

De koningin dacht helemaal niet aan fouten maken of verliezen. Dat vond ze helemaal niet erg. Ze wou dat Sara ging schaken, gewoon omdat ze er plezier in had.

'Nou, Sara zal er nog meer plezier in hebben als ze wint, vooral van haar eigen vader,' beweerde de raadsheer.

De koningin was niet overtuigd.

'Laten we in elk geval enkele essenties van het spel met haar doornemen, dat kan nooit kwaad,' zei hij en hij liep naar het midden van het speelveld. Hij had namelijk een schaaktheorie ontwikkeld en die wou hij graag demonstreren.

Sara keek nog steeds doodongelukkig.

'Als je niet wilt schaken, dan hoeft het niet, hoor,' zei de koningin geruststellend.

Maar Sara wilde best schaken.

De koningin boog zich naar haar toe. 'Je hoeft echt niet zo ongelukkig te zijn, Sara. Je hebt niets fout gedaan.'

Nee, misschien had ze niets fout gedaan. Sara wist het niet.

De koningin begreep ineens wat Sara's probleem was. Het was raar, maar de witte koningin kon dat. Zonder dat Sara iets had hoeven zeggen, had ze het in haar ogen gelezen. Ze sloeg een arm om haar heen.

'Ik vertel het aan niemand, Sara. Nooit. Je kan gewoon gaan schaken, morgen, net als alle andere kinderen. Niemand hoeft te weten wat jij dacht,' fluisterde ze zacht.

Sara keek verbaasd naar de koningin.

De koningin knipoogde en pakte haar hand. 'Kom, dan gaan we eens luisteren wat de raadsheer te vertellen heeft.'

Sara voelde zich minder zwaar.

Ja, ze zou morgen tegen Bob Hooke schaken, net als de andere kinderen.

25

De volgende ochtend werd Sara heel vroeg wakker. Ze durfde geen licht aan te doen en zocht in het donker naar haar mooiste jurk, de blauwe met de bootjes. Gisteravond had ze zich voor ze naar bed ging extra goed gewassen, dus dat hoefde niet meer. Ze trok de jurk over haar hoofd en deed de knoopjes dicht. Toen ze haar haren geborsteld had, pakte ze haar schaakspel en ging op bed zitten. Ze wachtte tot het licht werd.

Op de wekker zag ze dat het kwart over vier was. Hoe laat werd het eigenlijk licht? Ze wist het niet. Haar maag knorde. Ze had honger. Mmm, een boterham met jam, daar had ze zin in. Maar haar moeder zou wakker worden als ze nu in de keuken een boterham ging klaarmaken.

Sara luisterde naar de geluiden buiten. Het was echt heel stil.

Pas om vijf uur zag ze dat de lucht donkerrood werd. De boomtoppen vingen de eerste zonnestralen op. Zelfs toen wachtte ze nog even. Ze vond het eng buiten, als het nog donker was. De huizen lagen ver van de dijk en de dijk zelf was verlaten.

Eindelijk, om half zes, sloop ze haar kamer uit, de overloop over, de krakende trap af. Haar schaakspel hield ze stevig onder haar arm. Er kwam licht onder de deur van grootvaders studeerkamer door. Hij zou wel weer boven een boek in slaap gevallen zijn.

Sara wist precies welke treden kraakten en welke niet. Eén keer stapte ze per ongeluk verkeerd. Ze schrok er zelf van, maar het geluid was zo zacht dat niemand het gehoord kon hebben. Ze sloop door de gang, trok haar jas voorzichtig van de kapstok en luisterde even. Alleen de klok tikte.

Langzaam opende ze de zacht piepende voordeur. De zon, die laag boven de dijk hing, scheen naar binnen.

Sara rende over de dijk, het dorp in. Ze wist zeker dat Victor nog lang niet wakker was. De simultaanseance begon pas om half tien en het was nog niet eens zes uur.

De winkel van Victors vader was in diepe rust. Het bordje GE-SLOTEN hing voor de deur.

Er was geen deurbel. Sara begon behoedzaam op het raam te tikken. 'Victor, Victor!' riep ze zacht zodat ze de andere mensen in de straat niet ook wakker zou maken.

Na vijf minuten aan één stuk door op het raam getikt te hebben, zag ze Victor in zijn pyjama met een slaperig maar vrolijk hoofd in de winkel verschijnen. Hij vond het helemaal niet raar dat Sara zo vroeg was. Hij vond het juist leuk.

Ze gingen aan de grote tafel zitten schaken. Victor zette de koektrommel voor haar neer en Sara stak gulzig een paar koekjes tegelijk in haar mond.

Om half negen kwam Victors vader de winkel in. Sara en Victor schrokken, zo verdiept waren ze in het schaken.

Victors vader was wél verbaasd dat Sara er zo vroeg was. En toch vroeg hij niets. Als de kinderen vonden dat hij het moest weten, zouden ze het hem wel vertellen.

Hij keek even naar zijn zoon. Victor zat met rode oren boven het schaakbord. Aan de stelling te zien waren de kinderen echt goede schakers geworden. Eigenlijk jammer dat hij niet mee kon naar de schaaksimultaanseance. Het zou leuk zijn hen tegen Bob Hooke te zien spelen, maar de winkel moest vandaag open zijn en hij had niemand gevonden die hem kon vervangen. Bovendien, Sara's moeder ging ook niet mee. Waarschijnlijk vonden de kinderen het juist leuk om met z'n tweeën te gaan.

Sara sliep in het weekend meestal tot een uur of negen. Het was dus niet raar dat ze nog niet beneden was. Haar moeder besloot haar te laten slapen totdat ze Annie had gebeld. Annie werkte voor haar in de kapperswinkel en was een goede vriendin.

'Wat ga je doen, Susan?' vroeg Annie nieuwsgierig toen Sara's moeder zei dat ze die dag niet zou komen.

'Met Sara de stad in en naar de dierentuin. Ik heb al zo lang niets meer met haar gedaan,' antwoordde Susan.

Annie wilde een heel verhaal beginnen over de geboorte van de babygiraffen, maar de eerste klanten kwamen binnen.

'Nou, het is goed, hoor. Ik neem het vandaag wel van je over. Heel veel plezier hè, met je dochter,' zei ze opgewekt en ze hing op.

Susan slaakte een zucht. Ze riep naar boven: 'Sara! Sara, kom je?' Ze was al op weg naar de keuken om het ontbijt klaar te maken toen ze besefte dat ze geen antwoord kreeg.

Ze riep nog een keer, nu harder.

Sara en Victor liepen samen naar de bushalte. De bus deed er vijf minuten over naar het schaakgebouw. Ze waren dus ruim op tijd.

Victor had, zonder het tegen zijn vader te zeggen, een hoofdpijnpil gepakt. Zijn vader maakte zich toch al zorgen. Hij had wel drie keer gevraagd of Victor niet te moe was en of hij ze niet even met de auto moest brengen.

'Nee-hee,' had Victor bozig geantwoord. Hij was niet moe. Hij wilde schaken en niet nadenken over hoofdpijn en andere nare dingen.

De bus kwam aanrijden. Sara stapte als eerste in. Ze gingen naast elkaar op de achterste bank zitten, het schaakspel veilig tussen hen in.

Susan liep de trap op. Sara antwoordde altijd meteen, waarom nu dan niet?

'Sara?' zei ze nog een keer.

Weer bleef het ijzingwekkend stil.

Ze liep gejaagder dan eerst verder naar boven, en ging Sara's slaapkamer binnen.

Sara was er helemaal niet!

Susan liep weer naar de overloop en riep daar nog een keer: 'Sara!' Dit keer riep ze echt hard, haar stem klonk door het hele huis. Sara's grootvader hoorde het. Hij kwam zijn studeerkamer uit en keek langs de trap omhoog.

'Heb jij Sara gezien?' vroeg zijn dochter gespannen.

'Nee! Is ze niet boven dan?'

'Ze is weg!'

Sara had blijkbaar iets in haar kast gezocht, want er lagen verschillende jurken op de grond; Susan hing ze over een stoel. Eronder ontdekte ze Sara's plakboek. Het lag open. Ze pakte het op, langzaam, zodat ze even kon wennen aan wat ze zag. Want de aankondiging van de schaaksimultaanseance tegen Bob Hooke, met ernaast in kinderlijke letters IK MAG MEEDOEN! kon ze niet over het hoofd zien.

Nee, nee, dat mocht niet! Ze sloeg het boek dicht, legde het terug op Sara's bureau, probeerde na te denken, maar draaide zich toen abrupt om en rende de kamer uit.

In de deuropening botste ze bijna tegen haar vader op. Hij was naar boven gekomen. 'Waar is Sara dan?'

Zijn dochter antwoordde niet en verdween naar beneden.

26

Susan greep haar jas van de kapstok en verliet het huis. Ze kon moeilijk de schaakzaal binnenstormen en Sara wegsleuren... Toch moest ze ernaartoe. Ze moest weten wat er aan de hand was. O, als Sara maar niets zei! Bob zou zich wezenloos schrikken. Nee, dat mocht niet gebeuren. Ze moest voorkomen dat die twee elkaar ontmoetten. Als ze maar niet te laat was!

Aan weerszijden van de statige trap wapperde een groot doek met het logo van het schaaktoernooi. Sara en Victor beklommen de trap. Het gebouw, dat ze al een paar keer op de televisie hadden gezien, leek nu groter. Sara keek naar de foto van de schakers die in de hal hing.

Ze werden tegengehouden door een vrouw van de organisatie. De vrouw raadpleegde haar lijst met deelnemers, maar kon hun namen niet vinden. Gelukkig kwam de meester eraan en legde uit dat ze bij hem hoorden. Hij nam Sara en Victor mee, de zaal in.

Het was een indrukwekkende zaal waarin in een groot vierkant de tafels van de spelers stonden opgesteld. Bij elk schaakbord stond een kaartje met de naam van de speler.

Sara zag dat ze naast Victor zat. Ze keek wie er aan de andere kant van haar zou komen zitten.

Mariette! Gelukkig was ze er nog niet.

Sara schoof het wedstrijdspel dat op haar tafel stond resoluut opzij en begon haar eigen mooie schaakspel op te stellen.

De meester kwam meteen naar haar toe. 'Dat kan niet hoor. Je moet met een wedstrijdspel spelen.'

'Ik wil met mijn eigen schaakspel spelen,' zei Sara boos. Ze had het de koning beloofd en het hele koninkrijk verheugde zich erop.

'Sara! Dat kan niet. Het zou een mooie boel worden als iedereen zijn eigen spel meenam. Als je mij niet gelooft, vragen we het aan die mevrouw.' Hij wenkte de vrouw van de organisatie.

Natuurlijk was die het meteen met de meester eens. 'Wat jammer voor je. Je hebt zo'n mooi spel, maar het kan helaas echt niet.'

'Met zo'n spel breng je meneer Hooke in de war,' probeerde de meester nog een keer geduldig.

Sara geloofde er niets van.

'Berg het nou maar weer netjes op.' De meester begon de stukken al van het bord te halen. De vrouw van de organisatie bleef erbij staan en keek Sara aan met een blik die zei: Je meester heeft echt gelijk, hoor.

Sara stopte langzaam haar schaakstukken terug in de fluwelen zak en deed de zak in de doos. Alleen de koningin hield ze bij zich. Die zette ze voor zich op tafel.

'Je kan het heus wel,' zei Victor zachtjes.

Sara keek naar de koningin en hoopte dat ze tot leven zou komen en naar haar zou glimlachen. Maar de koningin bleef van steen. Mooi en levenloos.

Ik kan helemaal niet schaken met een gewoon spel, dacht Sara.

Al van verre zag Susan de gigantische foto van Bob Hooke. Ze moest opschieten! De schaaksimultaanseance kon nu elk moment beginnen. Maar wat ging ze doen? Wat zou hij zeggen als hij haar zag? Ze was ouder geworden, net als hij. Herkende hij haar nog wel? Ze keek naar zichzelf in de weerspiegeling van het glas. Tuttig. Ja, ze zag er tuttig uit.

Zou ze Sara kunnen vinden? Haar benen werden zwaar, alsof ze met geen mogelijkheid de trap op konden.

Ze bleef staan. Ze moest eerst weten wat ze tegen Sara zou zeggen. En wat ze zou doen als ze hem tegenkwam.

Mariette had een prachtige jurk aan met strikken van wit kant. Voor ze ging zitten, streek ze haar jurk glad.

'Je doet het vast hartstikke goed, lieverd,' fluisterde haar vader in haar oor.

Mariette keek even naar Sara.

'Daar is-ie!' riep Victor aan Sara's andere kant.

Ze begon te gloeien en hoorde toen zijn stem, rustig en zangerig. Hij kwam dichterbij. Sara keek voorzichtig om. Zijn ogen waren nog donkerder dan op de foto. Hij was ook langer dan ze had gedacht en hij liep gebogen. Zijn armen slingerden onwennig naast hem, alsof hij ze voor het eerst had en niet wist waar hij ze moest laten. Opeens keek hij in haar richting. Sara draaide zich snel om.

En toen werd er een hand op haar schouder gelegd. Sara verstijfde. Iemand fluisterde iets in haar oor.

'Zul je je best doen?'

Het was de meester.

Sara knikte en haalde opgelucht adem.

De zaal raakte aardig gevuld. Er zaten ongeveer vijftig mensen achter een schaakbord. En er waren veel toeschouwers, ouders en vrienden van de spelers. Er werd zacht gepraat.

De organisator van het schaaktoernooi hield een toespraak. Hij zei dat hij blij was dat Bob Hooke bereid was geweest deze schaaksimultaanseance te geven voordat hij vandaag terugging naar Zuid-Afrika.

Over een paar uur is hij heel ver weg, zei Sara in gedachten tegen de koningin.

Er werd lang en hard voor Bob Hooke geapplaudisseerd. Sara vergat mee te klappen.

Bob Hooke keek de zaal rond en kruiste haar blik. Hij glimlachte vaag. Betrapt keek ze opzij.

Eindelijk verklaarde de organisator de simultaanseance voor geopend. Bob Hooke liep naar voren, naar het eerste bord, deed een openingszet, gaf de speler een hand, liep toen naar het volgende bord en deed een andere openingszet.

Sara hield de koningin stevig vast. Bob Hooke naderde snel. Ze hoorde hem 'Voorspoed' zeggen tegen de spelers, hoorde het schuiven van de schaakstukken over het bord. Ze durfde niet op te kijken en zag zijn voeten voor haar tafel stilhouden.

Bob Hooke's hand ging naar de pion op e2. Hierdoor schoof de mouw van zijn jasje naar achteren. Sara zag zijn pols.

Ze herkende het meteen. Bob Hooke droeg precies hetzelfde armbandje als haar moeder. Precies hetzelfde, dezelfde kleuren, dezelfde kralen, alles. Híj had het armbandje dus aan haar moeder gegeven.

De mouw van zijn jasje schoof weer terug.

Bob Hooke keek even naar Sara en zag dat ze niet naar hem keek.

'Voorspoed,' zei hij extra vriendelijk. Het arme kind was verstijfd van de zenuwen. Hij liep door naar het volgende bord.

Vijftig spelers. Erg veel, maar leuk, vooral omdat er kinderen meededen. Je kon het beste tegen heel goede schakers of kinderen spelen. Het meisje dat hem net geen hand gaf, deed hem denken aan zijn eigen eerste officiële wedstrijd. Hij was een stuk jonger geweest dan zij, maar de manier waarop ze over het bord gebogen zat, zonder zich te verroeren, zo had hij ook gezeten. Zijn vader had toen achter hem gestaan en een foto gemaakt op het moment dat de beroemde schaker de eerste zet deed. Achter het meisje had niemand gestaan of vergiste hij zich?

Hij heeft het ook nog om!

Sara keek naar de schaakstukken, gewone lichtbruine en zwarte schaakstukken, zonder gezichten. Ze wilde met de koningin praten, maar in deze stille zaal waar ieder geluid duidelijk weerklonk kon ze moeilijk iets zeggen.

Voor ze wist wat ze deed was ze opgestaan en liep ze weg. Pas toen een vrouw haar tegenhield, merkte ze dat ze niet meer achter de tafel zat. In de verte hoorde ze haar naam. 'Sara?' Het was Victor.

'Ik moet naar de wc,' zei ze tegen de vrouw.

De vrouw wees haar de weg.

De wc was een grote koele ruimte, met een zwartwitte tegelvloer. Sara ging op haar hurken zitten en zette de koningin voor zich neer.

Hij had het armbandje om... hij hield nog steeds van haar moeder! Hij had gezegd dat hij geen kinderen had... Waarom was hij niet bij haar moeder als hij van haar hield?

Sara keek naar de koningin. Ze had zoveel vragen. Maar de koningin kon ze niet beantwoorden; ze bleef levenloos, een pop.

27

In de schaakzaal keek Bob Hooke naar Sara's lege stoel. Hij vroeg zich af waar ze was en dat laatste verbaasde hem eigenlijk nog het meest. Dat hij zich afvroeg waar ze was, dat het hem blijkbaar iets kon schelen. Meestal wist hij niet eens dat er iemand aan de andere kant van het schaakbord zat. Maar nu wilde hij per se weten wat er aan de hand was. Hij keek naar het naambordje voor het schaakbord en zag dat ze Sara heette. Mooie naam. Hij wist ook dat ze lang goudkleurig haar had en een blauwe jurk met bootjes droeg. Als er een zoektocht op touw gezet moest worden, zouden ze van hem een precieze beschrijving kunnen krijgen.

'Waar is sy?' vroeg hij aan het jongetje naast haar.

'Even naar het toilet, meneer.'

Bob Hooke zag dat de jongen zich ook zorgen maakte. Hij kon moeilijk nog langer op haar wachten. Mensen begonnen al te kijken waar hij bleef.

Geen enkele partij was echt moeilijk en dus had hij volop tijd om aan andere dingen te denken. Hij vond het jammer dat hij vandaag alweer wegging uit Nederland. Het land beviel hem, niet alleen omdat hij er voor het eerst verliefd was geworden – dat was bijna tien jaar geleden – maar ook omdat hij zich hier vrij voelde. Over een paar uur zat hij in het vliegtuig, op weg naar huis.

Vanuit zijn ooghoek zag hij Sara binnenkomen. Zonder iemand aan te kijken ging ze achter haar bord zitten. Je kon zien dat haar iets dwarszat. Hij vroeg zich af wat het was.

Victor keek naar Sara. Ze zat roerloos achter haar schaakbord. Hij wist niet of hij iets tegen haar moest zeggen. Bob Hooke kwam alweer aanlopen en Sara maakte geen aanstalten om een zet te doen.

Wat was daar toch aan de hand? De vrouw van de organisatie zag dat Bob Hooke alweer stilstond, bij hetzelfde schaakbord. O, het was het meisje dat met dat kinderspel had willen schaken. Ze had nog geen enkele zet gedaan. Bij elk toernooi waar amateurs en kinderen aan meededen had je een of twee spelers die, verlamd van de zenuwen, niets meer deden. Die spelers moest je er zo snel mogelijk tussenuit halen; ze hielden de hele boel op.

De vrouw van de organisatie wilde net ingrijpen, toen Bob Hooke gebaarde dat het niet nodig was. Hij boog zich naar Sara en begon op rustige toon, zodat verder niemand het verstond, in het Zuid-Afrikaans tegen haar te praten.

'Toe ek so oud soos jy was, het ek my eerste wedstrijd gespeel. Ek was te bang om te speel. Sal ons 'n afspraak maak? Ek loop nou verder en as ek terugkom, dan het jy reeds gespeel.'

Sara keek niet op en zei niets, maar Bob wist dat ze hem verstaan had.

De meester had spijt dat hij Sara mee had laten doen. Ze zette hem en zijn schaakclub voor schut. Hij had het kunnen weten.

Sara merkte weinig van de blikken die op haar gericht waren. Ze keek naar de koningin in haar handen. Ze vond dat de pionnen helemaal niet op soldaten leken. Alleen de paarden en torens waren enigszins herkenbaar.

Toch begon ze heel zachtjes tegen ze te praten.

'Ik moet zorgen dat de raadsheer naar buiten kan, dan zal hij me wel helpen!' Ze herinnerde zich wat de raadsheer de vorige avond gezegd had. Het midden van het bord, daar ging iedereen langs en dus moest ze dat verdedigen.

Opeens zag ze alle partijen die ze gespeeld had weer voor zich. Eigenlijk was het helemaal niet moeilijk.

Sara schoof langzaam, maar zelfverzekerd, de zwarte pion van e7 naar e5.

Victor glimlachte. Hij wist dat Sara nu verder zou spelen.

Bob Hooke was opgelucht toen hij zag dat Sara een zet gedaan had. Ze keek hem nog steeds niet aan, maar ze zat anders, minder gespannen.

Hij deed Pg1-f3. Ze zou wel niet zo sterk spelen, maar dat deed er niet toe. Ze kon straks tenminste aan haar vader en moeder vertellen dat ze een partij had gespeeld.

Buiten raasde het verkeer langs het statige schaakgebouw. Het was zaterdagmiddag en de stad werd bevolkt door mensen die inkopen deden.

Susan liep tussen hen door, zonder precies te weten waarheen. Ze was al twee keer de trap van het schaakgebouw opgegaan, maar beide keren zonk de moed haar in de schoenen en had ze zich omgedraaid.

Toch wilde ze weten hoe het met Sara ging. Hij zou haar echt niet herkennen, het was al meer dan negen jaar geleden dat ze elkaar voor het laatst gezien hadden, en daarbij: als hij schaakte zag hij meestal niets anders dan de schaakborden.

Ze draaide zich om en liep terug.

Bob Hooke werkte de schaakborden snel af. Sommige schakers waren beter dan de anderen, zaten waarschijnlijk op een schaakclub, maar ook die partijen overzag hij in één oogopslag. Bij de kinderen stelde hij zijn overwinning nog een beetje uit, om ze niet te ontmoedigen. Voor volwassenen was hij meedogenloos. Het was tijdverspilling om hen de illusie te geven dat ze goed speelden.

Eigenlijk was er maar één partij die opviel en dat was de partij met dat kleine meisje, Sara. Ze speelde niet alleen goed, maar ook origineel, alsof ze de regels van het schaken zelf ontdekt had.

In de hal van het schaakgebouw klonk het geroezemoes van de schaakzaal die aan het einde van de gang lag. Susan stelde zichzelf gerust met de gedachte dat Bob waarschijnlijk geen enkele aandacht aan Sara zou besteden. Hij was nooit geïnteresseerd geweest in kinderen.

Negen jaar geleden had ze hem in Nederland ontmoet. Ze waren verliefd geworden en toen hij een week later weg moest was ze halsoverkop met hem meegegaan naar Zuid-Afrika.

Ze passeerde de aankondigingen waar hij levensgroot op afgebeeld stond. Het deed haar aan vroeger denken, als ze hem opzocht tijdens een toernooi. Hij was dan blij haar te zien, maar tegelijkertijd voelde ze dat het hem niet echt kon schelen dat ze er was.

Haar maag kromp ineen door de sfeer die in het schaakgebouw hing. Het zachte geroezemoes, het geschuifel van voeten en de serieus kijkende mensen. Ze had sinds die ene dag nooit meer een schaakspel willen zien.

Hoe ze toen, negen jaar geleden, de fout had kunnen maken te denken dat hij van haar hield, dat hij vader wilde worden, wist ze niet meer. Het was een akelige nacht geweest, die ze wachtend had doorgebracht. Bob wist dat ze iets belangrijks wilde vertellen, maar kwam desondanks de hele nacht niet thuis. Het gebeurde vaak dat hij haar gewoon vergat, maar deze keer raakte ze overstuur.

's Ochtends belde ze uiteindelijk een vriend. Ja, Bob was bij hem. Hoezo? Nee, hij sliep. De vriend vertelde slaperig dat ze de hele nacht een partij hadden zitten analyseren en dat Bob die middag aan een toernooi meedeed en dus niet gestoord mocht worden. 'Nee, hij heeft geen tijd om nog voor het toernooi thuis te komen.'

Susan voelde zich toen totaal verlaten. Ze kon en wilde hem niet eens meer zien. Ze besloot nog diezelfde dag terug te gaan naar Nederland. In een brief legde ze in koele bewoordingen uit dat ze heimwee had gekregen en dat hij geen moeite hoefde te doen om haar te vinden.

Ze had nooit meer wat van hem gehoord.

Haar ouders waren op reis geweest toen ze Bob leerde kennen en Susan had hun nooit verteld wie hij was.

Zeven maanden later werd Sara geboren. Natuurlijk had ze Bob moeten laten weten dat hij een dochter had, maar ze stelde het uit. En hoe langer ze het uitstelde, hoe moeilijker het werd.

En zolang hij het niet wist, kon ze niet aan Sara vertellen wie haar vader was.

Op een gegeven moment was Sara vragen gaan stellen. Susan had toen een poging gedaan hem te bereiken, maar hij was net verhuisd.

Natuurlijk had ze hem kunnen vinden als ze echt moeite had gedaan, maar Sara had het er niet meer over en dus hoopte Susan tegen beter weten in dat ze het niet erg vond om het pas later, als ze groot was, te weten.

En nu was hij in Nederland en kon ze hem gemakkelijk bereiken. Maar hoe moest ze het hem vertellen? Zo van: 'Hoi, leuk je te zien en gefeliciteerd met je overwinning en o ja, je hebt een dochter...?' Hij zou haar misschien niet eens geloven.

Susan verkilde bij de gedachte aan zijn reactie.

Ze naderde de speelzaal. Het geluid van schuivende schaakstukken over houten schaakborden werd luider. Ze hield haar pas in en liep behoedzaam naar de balustrade die uitzicht bood op de speelzaal. Van bovenaf kon ze op de schaakborden kijken. De borden waarop de partijen beëindigd waren, stonden in de beginstand, met alleen de koning in het midden. Aan het aantal zwarte koningen te zien, had Bob tot nu toe alles gewonnen.

En toen zag ze hem. Hij beende met zijn gebruikelijke lange passen langs de schaakborden en deed in het voorbijgaan zijn zetten. Een tinteling ging door haar heen. Het was alsof ze hem voelde. Ze had de neiging zich om te draaien, maar haar ogen zochten Sara.

Bob Hooke bleef staan en toen zag ze dat hij bij Sara's bord stond. Hij stond erbij alsof Sara een serieuze tegenstander was. Maar Sara kon toch helemaal niet schaken?

Bob schaakte tegen zijn eigen dochter, zonder het te weten...

Susan stond een tijdje gefascineerd te kijken en liep toen langzaam weg. De zaal uit. Naar buiten.

Bob Hooke keek naar het kleine blonde meisje aan de andere kant van het schaakbord. Waarom was hij zo geïnteresseerd in haar? Ze leek op Susan, dezelfde neus, hetzelfde haar. Ja, dat was het! Ze leek op Susan.

Susan was een Hollands meisje dat bijna een jaar zijn vriendin was geweest. Negen jaar geleden was ze zonder iets te zeggen weggegaan. Ja, ze had hem nog één brief geschreven, maar die was zo koel dat hij niet terug had durven schrijven. En toch dacht hij nog steeds aan haar, op de meest onverwachte momenten. Hij miste de manier waarop ze lachte en hem omhelsde. En hij miste haar verhalen, hoewel hij er toen met een half oor naar geluisterd had. Maar die verhalen waren geestig, dat besefte hij nu, nu het te laat was. Hij had spijt dat hij ze niet onthouden had. Dit kleine meisje deed hem natuurlijk aan haar denken omdat ze ook De Waal heette en Hollands was.

Hij onderbrak zijn gedachten, keek naar het bord. De ontstane situatie was op zijn zachtst gezegd interessant. Hij moest nog oppassen ook, om geen fout te maken. Hij deed een zet.

Sara deed zonder aarzeling haar tegenzet.

Natuurlijk, ze wist al wat hij zou spelen en had haar antwoord klaar. Ze speelde echt bijzonder goed.

Sara keek naar de stukken op het schaakbord.

'Als ik nu met mijn hofdame de soldaat op c4 sla, dan neemt de toren mijn hofdame gevangen, maar dan zet ik mijn koningin naar a6 en dan kan de toren niet meer weg omdat die dan het paard moet verdedigen.'

Hoewel ze fluisterde, verspreidde haar stem zich door de stille zaal. Bob Hooke, die doorgelopen was, hoorde het.

Haar heldere kinderstem vertederde hem.

De ene na de andere speler verloor. Ook Mariette stond op het punt te verliezen. Ze had het zelf alleen volstrekt niet door. Zelfs niet toen Bob Hooke haar schaakmat zette.

'Jy het verloor, nè?' zei hij geduldig. Hij had Mariette lang gespaard, maar ze ging steeds meer fouten maken. Ze speelde niet slecht, maar echt liefde voor het spel had ze niet.

Haar vader snelde verwachtingsvol toe.

'Heb je gewonnen?'

Mariette schudde teleurgesteld haar hoofd.

'O, maar dan moet je meneer Hooke een hand geven, Mariette,' zei haar vader en hij keek verontschuldigend naar Bob Hooke.

Mariette vond schaken ineens een vervelend en stom spel. Met grote tegenzin schudde ze Bob Hooke de hand.

Bob grijnsde afwezig en liep verder, naar het bord van Sara.

Mariette zag dat Sara nog steeds niet verloren had. Ze stond op. Ze had zin in een ijsje. Zonder haar stukken terug te zetten liep ze met haar vader naar de bar. Hij vond het sneu dat ze verloren had en hij zou het allergrootste ijsje voor haar kopen.

De vrouw van de organisatie zag Mariettes schaakbord. Weer een speler die zijn stukken niet terugzette. Hoofdschuddend stuurde ze er een van haar assistenten op af.

Victor zette zijn bril af. Hij voelde zich al een tijdje duizelig en wilde niet dat iemand het merkte. Maar de schaakstukken gingen opeens zo wild heen en weer dat hij er misselijk van werd. Het leek alsof hij met stoel en al omviel. Hij greep zich vast aan de tafel.

Gelukkig waren Sara en ook de meester verdiept in hun spel. Ze zagen niet dat hij ziek was.

Hij sloot zijn ogen. Als hij heel stil bleef zitten, zou het zo wel overgaan.

Sara deed haar zet.

Bob Hooke knikte. 'Goeie skuif, baie goed.'

Sara glom van trots. Ze wist dat ze een goeie zet gedaan had.

Bob Hooke boog zich naar haar toe. 'Ek het vroeër ook met my skaakstukke gepraat. Maar jy moet tog oppas daarvoor want dan weet jou teenstander wat jy gaan maak. Oor my hoef jy jou nie te bekommer nie. Ek sal nie luister nie,' zei hij samenzweerderig.

Voor het eerst keek Sara op. Ze glimlachte breed. Ze keek Bob Hooke dankbaar aan. Haar ogen straalden.

Bob Hooke schrok. Hij wist even niet wat hij zeggen moest. Het was alsof Susan hem aankeek. Hij ging meteen rechtop staan.

'Gaan voort,' zei hij nogal kortaf en hij liep door, naar de volgende speler.

'Is alles reg hier by jou?' Bob Hooke keek Victor onderzoekend aan. Het leek alsof de jongen trilde. Het zou wel door de concentratie komen.

Victor opende zijn ogen en schoof de toren naar voren. Hij wist precies wat hij moest doen. Als hij goed bleef spelen, zou niemand doorhebben dat hij ziek was. Bob Hooke deed een tegenzet en liep verder. Victor sloot meteen zijn ogen weer.

Sara keek voor het eerst de zaal in, alsof alles nu pas tot haar doordrong. Mariettes stoel was leeg, maar de meester speelde nog. Verder waren er niet veel kinderen meer, alleen Victor. Hij had zijn bril afgedaan en hield zich stevig aan de tafel vast.

Sara wist meteen wat er aan de hand was en aarzelde geen moment.

'Victor? Gaat het?' Ze stond op van haar stoel en pakte Victor voorzichtig vast.

Victor wilde het liefst zeggen dat alles goed was, maar hij had zo'n hoofdpijn. Het leek alsof zijn hoofd barstte. Hij zag griezelig bleek.

Sara trok hem omhoog. 'Je moet naar huis!'

Ja, hij wilde naar huis, niets liever. Naar bed, rust, donker... Maar Sara dan? Ze moest hier blijven. Hij kon wel alleen naar huis.

'Jij moet hier blijven,' stamelde hij.

Sara pakte hem stevig vast. Hij zou omvallen als ze hem niet goed vasthield.

Bob Hooke, die aan de andere kant van de zaal was, merkte niets van de paniek die ontstond bij Victors tafel.

De mevrouw van de organisatie kwam ongerust op Victor en Sara af. 'Moet ik een dokter bellen?'

'Nee! Nee. Ik wil naar huis!' zei Victor nu resoluut.

Zonder dat Bob Hooke of de meester het merkten, verlieten Sara en hij de zaal.

Sara's schaakspel bleef eenzaam achter, onder haar tafel in de schaakzaal.

28

160 Bob Hooke was teleurgesteld. Waarom was ze weggegaan? Had hij iets verkeerds gezegd, of was ze bang? Het jongetje naast haar was nu ook weg!

Hij zag dat de vrouw van de organisatie opdracht gaf Sara's schaakbord in de beginpositie te zetten en te noteren als een verloren partij. Ze kwam dus niet meer terug. Onverwacht bits zei hij dat niemand aan de stelling mocht komen. Hij wou er nog naar kijken en één ding was zeker: het meisje stond absoluut niet verloren.*

Sara's meester had niet slecht gespeeld. Hij was zelfs een van de weinigen die het tamelijk lang hadden volgehouden. Hij gaf Bob Hooke een hand. 'Dank u wel voor de geweldige partij,' zei hij vol bewondering.

Hij had het gevoel alsof hij uit een diepe slaap ontwaakte. Bijna alle kinderen uit zijn klas waren vertrokken. Hij had er niets van gemerkt. Alleen Mariette was er nog en kwam naar hem toe.

'En?' vroeg hij.

'Ik heb verloren,' zei Mariette ontevreden.

'Nou, ik ook, hoor.' Hij stond op en rekte zich uit. Hij was benieuwd hoe Victor gespeeld had. Hij zag hem nergens. Sara trouwens ook niet.

'Ze zijn naar huis. Ze zullen wel verloren hebben,' zei Mariette beslist.

Natuurlijk hadden ze verloren, bijna iedereen had verloren.

De meester zag een groep spelers zich bij een schaakbord

* zie p. 178 e.v.

verzamelen. Daar was vast een interessante partij gespeeld. Hij liep ernaartoe.

Inderdaad, het was een interessante stelling. De speler die gespeeld had kon bijzonder goed schaken, dat was duidelijk. Hij keek naar de omstanders, probeerde te ontdekken wie het was. Vast een van die mannen die nu met een ernstig gezicht over het bord gebogen stond.

De meester pakte het naamkaartje dat voor het schaakbord stond en draaide het om. De begaafde speler was helemaal geen man, zelfs geen jongen. Het was een meisje, een leerling van hem. Het was Sara!

Sara zat aan de tafel in het midden van de winkel van Victors vader. Aan deze tafel dronken ze altijd thee en had ze haar eerste schaakpartij gespeeld. Het was doodstil in de winkel. In de verte sloeg de kerkklok.

Victor was de hele weg naar huis duizelig gebleven. Zo erg dat Sara hem stevig vast had moeten houden. Haar handen waren er nog stijf van. Hij had met gesloten ogen tegen haar aan gezeten in de bus. Nu lag hij in bed en de dokter was bij hem.

Ze hoorde de dokter zacht praten. Sara hield haar adem in, maar kon niet verstaan wat hij zei.

Ze bedacht zich ineens dat Bob Hooke nu in het vliegtuig zat, op weg naar Zuid-Afrika.

Toen dacht ze weer aan Victor. Als ze heel stilzat werd Victor vast snel weer beter. Ze nam zich voor zich niet meer te verroeren tot hij beter was.

In de schaakzaal waren inmiddels alle partijen beëindigd. De meeste mensen hadden verloren, op drie spelers na die remise speelden. Enkele spelers stonden nog na te praten over hun partij.

Bob Hooke gaf de laatste speler een hand en liep naar de tafel van Sara, waar zich intussen een hele groep mensen had verzameld. Sara zou in twee zetten een toren kunnen slaan. Hij zou het nog moeilijk hebben gekregen.

Misschien kende iemand van de omstanders haar.

'Wie is sy? Sy is ongelooflik goed,' zei hij meer in het algemeen dan tegen iemand in het bijzonder.

De omstanders knikten instemmend. Ja, ze was erg goed.

Een man die net nog tegen hem gespeeld had keek op.

'Ze is een leerling van mij,' zei hij, alsof hij het zelf nauwelijks geloofde.

Bob Hooke vroeg waarom Sara weg was gegaan.

De meester wist het niet. Sara was nu eenmaal voor iedereen een raadsel.

'Hoe oud is sy?'

Nu moest de meester even denken. Hoe oud was ze ook weer? 'Acht jaar,' antwoordde hij snel.

'Kon sy altyd so goed skaak speel?'

De meester besefte ineens dat Bob Hooke ook moeite met haar spel had gehad, net als hij.

'Ja, ze was altijd wel een talent,' zei hij wat zelfverzekerder.

'Jy moet versigtig wees met so'n meisie.'

De meester knikte. Ja, hij moest voorzichtig met haar zijn. Was hij voorzichtig geweest tot nu toe? Hij wist het niet.

'Heeft hij het over Sara, meneer?' vroeg Mariette ongelovig.

Bob Hooke werd door zijn persoonlijk assistent apart genomen. Deze zei dat zijn bagage opgehaald was en dat ze meteen konden doorrijden naar het vliegveld.

Bob Hooke knikte. Hij had beloofd nog één interview aan de plaatselijke televisie te geven, maar daarna ging hij mee.

Sara hoorde Victors vader en de dokter door de gang lopen. Ze kwamen de winkel in. Roerloos keek ze naar de twee mannen.

Victors vader zag grauw. Zijn stem trilde. Hij vroeg of het echt waar was wat de dokter daarnet zei.

De dokter trok zijn jas aan. 'Ja. Ik kreeg vanochtend de uitslag van de testen. Die duizeligheid is het gevolg van een allergie. Nog niet zo lang geleden hebben ze ontdekt dat mensen allergisch kunnen zijn voor de pijnstillers die uw zoon slikt. Hierdoor zakt zijn bloeddruk snel en dan wordt hij duizelig en misselijk. Het enige wat hij moet doen, is die pillen niet meer slikken. Het heeft in ieder geval niets met zijn epilepsie te maken.'

Sara begreep het niet precies en lette vooral op de reactie van Victors vader. Die had tranen in zijn ogen, maar lachte tegelijkertijd.

De dokter deed zijn tas open en pakte er een doosje uit.

'Ik denk dat u hem voortaan het beste dit kunt geven als hij hoofdpijn heeft. Want van die hoofdpijn zal hij nog wel af en toe last hebben, zolang hij medicijnen tegen epilepsie slikt.' 163

De dokter sloot zijn tas en liep naar de deur. Hij was blij dat hij eindelijk wist wat de jongen mankeerde. Toen ze voor het eerst bij hem kwamen met de klachten had hij het ergste gevreesd, maar gelukkig had hij, eigenlijk enigszins bij toeval, in een medisch tijdschrift over de medicijnallergie gelezen.

'Als hij uit bed wil, mag dat gerust. Ik kom morgen nog wel even kijken.'

'Ja, graag,' zei Victors vader. Toen de dokter de winkel had verlaten, bleef hij voor het raam staan en slaakte een diepe zucht. Pas toen hij Victor achter zich de winkel in hoorde komen, draaide hij zich om.

Victor klom energiek op een kruk, pakte de koektrommel en graaide er een koekje uit.

Sara had uit het gesprek begrepen dat Victor weer snel beter zou worden, en toen ze hem zag wist ze het zeker. Hij keek haar aan alsof er nooit iets gebeurd was.

'Je schaakte heel erg goed,' zei hij met zijn gebruikelijke geestdrift.

Sara bewoog voor het eerst weer, maar toch nog voorzichtig, alsof ze bang was de toverspreuk te verbreken. Ze knikte. Als ze had doorgespeeld, had ze een toren van Bob Hooke geslagen.

Victors vader gaf zijn zoon een kus. Dat deed hij nooit, zeker niet als er anderen bij waren, maar nu was hij zo blij dat hij zich niet meer kon inhouden.

Victor keek vies, gilde als een speenvarken en veegde overdreven woest zijn wang schoon. Hij keek er zo olijk bij dat zijn vader hem bijna weer een kus wilde geven; hij kon nog net op tijd wegduiken.

Eén ding was duidelijk: Victor was weer helemaal de oude.

Sara dacht aan de partij die ze tegen Bob Hooke had gespeeld. Ze wist bijna alle zetten nog en ze zou de partij met de koningin naspelen. Vooral de raadsheer zou het vast erg interessant vinden.

En toen zag ze in een flits haar schaakspel onder de tafel in de schaakzaal staan.

'Mijn schaakspel!' riep ze geschrokken.

Ze rende de winkel uit, zonder verder iets te zeggen.

Victor keek zijn vader aan. Ook hij besefte het.

'Ze is haar schaakspel vergeten, in de schaakzaal,' zei hij geschrokken.

Bob Hooke beantwoordde geduldig de vragen van de plaatselijke verslaggever. Was zijn verblijf in Holland goed bevallen? Hoe lang was hij al niet meer in Zuid-Afrika geweest? Had hij nog talenten ontdekt tijdens de schaaksimultaanseance?

Bob Hooke knikte de camera in.

'Ja,'n uitsonderlike talent. Dit kry jy nie dikwels nie,'n meisie met soveel talent. 'n Meisie om te onthou. Sara de Waal.'

Even later zag het hele dorp het op de televisie. Er waren maar weinig mensen die het meteen geloofden. En toch, als zo'n beroemde schaker op de televisie beweerde dat Sara een groot schaaktalent was, dan moest het wel waar zijn.

29

Bob Hooke stond met hetzelfde nare knagende gevoel dat hij kende van het moment dat Susan plotseling verdwenen was, naar de tafel te kijken waar Sara gezeten had. Bij de tafel stond de vrouw van de organisatie. Ze had een prachtig schaakspel in haar handen en sprak hoofdschuddend tegen een medewerker. Bob hoorde wat ze zei.

'Dit is het schaakspel van Sara de Waal. Ze wilde hier eerst mee spelen en nu is ze het vergeten. Hebben we een adres van haar?'

De jongen wist het niet. Maar Mariette had het spel van Sara herkend. 'Dat is van Sara! Zal ik het meenemen? Ik woon vlak bij haar.'

Als Bob Hooke had nagedacht, had hij Mariette haar gang laten gaan, maar hij dacht niet na. Hij nam het schaakspel van de vrouw over, nog voor ze het aan Mariette kon geven, en zei gedecideerd dat hij wel even op weg naar het vliegveld langs haar huis ging.

Zijn assistent keek zorgelijk. Daar hadden ze helemaal geen tijd voor. Maar Bob lette niet op hem. Hij vroeg Sara's adres en beende met het schaakspel weg.

Terwijl Sara terugrende naar het schaakgebouw, stapten Bob Hooke en zijn assistent in een taxi en gingen op weg naar haar huis.

Bob keek naar de huizen die ze passeerden.

Zou Susan nog in Amsterdam wonen? Ze had geen contact met hem opgenomen. En toch moest ze geweten hebben dat hij in het land was. Elke avond vroeg hij aan de balie in het hotel of er berichten voor hem waren. Er waren vele berichten, maar geen van Susan.

Hijgend bereikte Sara het gebouw. Haar voeten sprongen de trap op, stormden de schaakzaal binnen, op de tafel af waar ze gezeten had. Het schaakspel was weg! Tranen sprongen in haar ogen. Ze was het kwijt...

De vrouw van de organisatie kwam op haar af. 'Waarom was je nou weggegaan?'

'Heeft u mijn schaakspel gezien?' vroeg Sara bijna wanhopig.

'Ja, dat had je laten staan, maar Bob Hooke brengt het op weg naar het vliegtuig naar je huis.'

'Naar mijn huis?'

De vrouw van de organisatie knikte.

Als ze de weg langs de voetbalvelden...

Sara rende de zaal alweer uit.

De vrouw van de organisatie trok haar wenkbrauwen op. Het kind had net zo'n zwaaiende tred als de lange Bob Hooke. Zou je soms raar gaan lopen als je goed kon schaken?

Sara hoopte dat ze voor Bob Hooke thuis was. Anders zou hij aanbellen en dan zou haar moeder opendoen en dan...

Al van verre zag ze de taxi voor haar huis staan. Gelukkig stapte Bob Hooke nu pas uit en begon hij naar de voordeur te lopen. Sara rende zo hard ze kon naar hem toe.

Bob wilde net aanbellen toen hij voetstappen achter zich op het grind hoorde. Hij draaide zich om en zag Sara. Ze had een kleur en ademde snel. Haar goudkleurige haar hing in kleine krulletjes om haar gezicht. Hij vond haar lief. Ze zag er zo kinderlijk opgewonden uit. Hij kon zich nauwelijks voorstellen dat dit kleine meisje serieus had zitten schaken.

Hij overhandigde haar het schaakspel. 'Hier. Jy het dit vergeet.'

Sara nam het met beide handen aan. Ze was te zeer buiten adem en te blij om iets te zeggen.

'Jammer dat ons nie die spel klaar gespeel het nie. Maar ek wil jou sê dat jy die beste was. Rêrig baie goed.'

Sara keek verlegen weg, maar haar ogen straalden. Niemand

had ooit tegen haar gezegd dat ze ergens goed in was, behalve de koningin.

'Jou ouers sal trots wees op jou.'

Ja, haar grootvader zou trots zijn.

'Hou so aan. Ek hoop dat ek volgende jaar weer teen jou mag speel.'

Sara dacht na. Volgend jaar? Ja, dat was leuk. Bob Hooke speelde heel anders dan Victor of Victors vader of de meester. Ja, ze wilde heel graag nog een keer tegen hem schaken.

'Is dit 'n afspraak?'

Ze knikte, zo heftig dat Bob moest lachen. Hij gaf haar een hand. De mouw van zijn jasje schoof weer naar achteren. Sara keek naar het armbandje. Bob zag het. Hij had haar er ook al tijdens het schaken naar zien kijken.

'Vind jy die armband mooi?'

Ze keek hem blozend aan en knikte.

Opnieuw viel het hem op dat dit kleine meisje op Susan leek. Zou hij het aan haar geven? Nee, natuurlijk niet. Hij kende het kind nauwelijks. Hij wilde het armbandje trouwens helemaal niet kwijt, nog niet.

'Het is heel mooi,' zei Sara. Het was het eerste wat ze tegen hem zei.

'Ek het dit een keer verloor en toe kon ek nie speel nie. Gelukkig het ek dit weer gou gekry, anders was ek nie hier nie.'

Hij gaf haar een hand. Als hij niet opschoot, miste hij het vliegtuig. 'Dag Sara.'

'Dag meneer,' zei Sara.

Bij de taxi stond Bobs assistent ongeduldig te wachten. Hij hield het portier open en Bob stapte in.

Sara keek hem na.

Hij heeft het armbandje ook altijd om, dacht ze. Hij heeft het altijd om, net als mama. Maar was hij haar vader? Ze wist het nog steeds niet.

Ze haalde de koningin tevoorschijn en zette haar op de grond. Misschien kwam ze nog één keer tot leven.

Toen hoorde ze de taxi wegrijden.

Bob Hooke keek vanaf de achterbank naar buiten.

'We zijn wat aan de late kant, maar als er geen files zijn, halen we het. U kunt gelukkig bij de douane meteen doorlopen,' zei zijn assistent. Bob knikte.

Wat een grappig kind. Hij was helemaal vergeten te vragen waarom ze tijdens de schaakpartij was weggelopen.

De taxi minderde vaart omdat er een vrouw op de dijk liep.

Het was een mooie blonde vrouw. Toen de taxi haar inhaalde keek Bob Hooke even opzij. Hij vond dat ze een beetje op... Hij draaide zich nu helemaal om. Hij moest haar gezicht beter zien. Ze leek niet een beetje, ze leek ontzettend veel... Het wás Susan!

'Stop! Stop!' riep hij dwingend.

De taxichauffeur trapte op de rem. De taxi kwam met een kleine schok tot stilstand.

Bob zag dat Susan naar Sara's huis liep. Sara kwam op haar af. Ze nam het kind in haar armen. Zou Sara Susans dochter zijn? Hij draaide zich om. Ze was in de tussentijd moeder geworden... Hoe oud zou Sara zijn? Hij probeerde zich razendsnel te herinneren wat zich negen jaar geleden had afgespeeld.

Susan drukte haar dochter tegen zich aan. Het was alsof ze Sara een hele tijd niet gezien had; ze had zich steeds meer voor haar afgesloten, bang iets te moeten uitleggen. En ze had het zelf niet eens in de gaten gehad. Ze moest huilen, maar probeerde opgewekt te klinken.

'Saar, hoe ging het?'

Sara keek over haar schouder naar de taxi die in de verte stilstond.

'Het spijt me, Saar. Ik had met je moeten praten,' zei haar moeder, niet wetend wat er zich achter haar rug afspeelde.

De taxi trok op en reed weg.

Susan stond tegenover haar dochter en keek haar recht aan. 'Ik zal je alles vertellen. Goed?'

'Mam, hij heeft het ook om,' zei Sara voorzichtig.

'Wat, lieverd?'

'Jouw armbandje. Bob Hooke heeft hetzelfde armbandje als jij en hij heeft het ook altijd om.' Sara keek naar haar moeder.

Susan wist niet zo snel wat ze zeggen moest. Had hij het om? Nog steeds? Haar gedachten gingen razendsnel, veel te snel. En hij had gezegd dat... Had hij het dan toch over haar gehad? Hield hij van haar? Het had geen zin om er nu over na te denken. Hij was weg, naar Zuid-Afrika.

Sara keek haar vragend aan.

'Ik weet het niet, Saar. Misschien heeft hij het zomaar om.'

Sara schudde haar hoofd. 'Nee. Hij heeft het niet zomaar om.'

Er klonk getoeter. Een bestelbus kwam, gevolgd door fietsende en lopende mensen over de dijk naar hun huis rijden. Ze zagen Sara en haar moeder en begonnen te zwaaien en te roepen.

Sara's moeder veegde haar gezicht droog en keek Sara aan. 'We praten straks verder, oké?'

Sara knikte. Wat zouden die mensen komen doen?

De assistent van Bob Hooke haastte zich door de gang van het vliegveld. Ze hadden veel tijd verloren.

Bob liep achter hem aan en dacht aan het kleine meisje, het meisje met wie hij geschaakt had. Het was onmiskenbaar Susans dochter. Misschien was ze toen, negen jaar geleden, in verwachting geweest, en was dat de reden dat ze bij hem was weggegaan. Maar dat betekende dat ze van hem... of... ja, dat kon natuurlijk ook... dat ze van iemand anders in verwachting was geweest. Als dat zo was, wilde hij het nu weten, dan kon hij haar meteen uit zijn hoofd zetten.

'Mag ik uw paspoort even zien?' vroeg de vrouw achter de balie. Ze stak haar hand uit en verwachtte het paspoort. Toen dat uitbleef keek ze op en zag de rug van Bob Hooke verdwijnen in de menigte.

Iedereen die op de televisie had gehoord dat Sara een groot schaaktalent was, wilde haar feliciteren. Zelfs de meester en Mariette met haar vader stapten uit de bus van de plaatselijke televisieploeg. De meester lachte wat ongemakkelijk.

Sara's grootvader kwam enthousiast op haar af.

'Sara! Er werd net op de televisie gezegd dat je een schaak-wonder bent.'

Een cameraman begon haar te filmen.

Sara kon nauwelijks geloven dat al die mensen voor haar ge-komen waren. Ze hoorde de meester vertellen dat hij altijd al had gevonden dat Sara goed kon schaken, en dat hij trots op haar was. En Mariette zei dat Sara haar beste vriendin was.

Gelukkig kwamen Victor en zijn vader ook. Sara rende met-een naar hen toe.

'Heb je je schaakspel gevonden?' vroeg Victor. Hij had voor het eerst geen pet op.

Sara was nu pas echt blij.

Aan het eind van de middag zaten Sara en Victor de partij tegen Bob Hooke na te spelen. Sara was er zo in verdiept dat ze niet hoorde dat er een auto op de dijk stopte. Ze merkte zelfs niet dat haar moeder bij hen kwam staan.

Susan knielde bij haar dochter. 'Wil je het mij straks ook la-ten zien, Saar?'

Sara keek op; ze hoorde aan haar moeders stem dat er iets aan de hand was. Susan trok haar mee, weg van de anderen. Victor speelde de partij verder met zijn vader.

'Sara, Bob vraagt of we hem willen zien.'

Haar moeder zag er opeens net zo uit als op de oude foto's, vond Sara.

'Wil jij?' vroeg ze zacht.

'Ja,' antwoordde Susan.

Terwijl ze naar de taxi liepen, pakte Sara haar moeders hand.

'Wat is er, Saar?'

'Mam, hij is mijn papa, hè?' fluisterde Sara bijna.

Haar moeders gezicht lachte. 'Ja,' zei ze zacht en ze gaf Sara een zoen.

Vanuit zijn studeerkamer keek Sara's grootvader naar het drietal dat bij de taxi stond. Zijn dochter hield de hand vast van de lange Bob Hooke. Hij kende hem niet, maar wist nu waarom hij dacht dat hij hem eerder had gezien. Hij bewoog zich net zoals Sara, bijna slungelig...

Opeens bedacht hij iets. Zijn stamboom! Hij liep naar zijn bureau, gumde een van de vraagtekens weg en schreef met sierlijke letters op die plek: Bob Hooke.

Sara liep terug naar het schaakbord. Ze wilde de koningin aan haar vader laten zien.

Victor en zijn vader waren weggegaan. Ze hadden de schaakstukken in de fluwelen zak gestopt, alleen de koningin stond nog midden op het bord. En voor het eerst sinds lange tijd kwam ze weer tot leven. Ze knipoogde naar Sara en glimlachte hartverwarmend.

Sara hoorde de motor van een auto starten. De taxi! Hij ging toch niet weg? Ze griste de koningin van het schaakbord en rende zo hard ze kon naar de dijk. Ze zag de taxi in de verte verdwijnen.

'Sara!'

Haar moeder riep. Sara keek zoekend rond.

Susan zat op de steiger langs de waterkant en naast haar zat Bob Hooke. Sara holde naar hen toe.

Haar vader en moeder schoven uiteen en Sara nestelde zich tussen hen in, met de koningin dicht tegen zich aan gedrukt. Ze was gelukkig.

Ook de koningin was tevreden. Ze wist dat ze nog heel vaak met Sara zou schaken. En niet alleen met Sara, maar ook met haar vader. De koningin verheugde zich er nu al op!

Wil je nu zelf ook gaan schaken?
Hier volgen nog een keer alle regels

Het schaakbord ligt goed als er in de linkerhoek een zwart veld is.

WIE DOEN MEE?

De witte en de zwarte *koning*.

Natuurlijk de witte en de zwarte *koningin*. De koningin wordt ook wel eens dame genoemd.

Hun raadslieden; de witte en de zwarte raadsheer en de witte en de zwarte hofdame. Ook *lopers* genoemd.

De witte en de zwarte *paarden*.

De witte en de zwarte *torens*.

En de witte en de zwarte soldaten, die *pionnen* genoemd worden.

WAT DOEN ZE?

De *koningen* mogen in elke richting (naar voren, naar achteren, opzij of schuin) één stap doen. Zie schaakbord op p. 43.

De *koninginnen* mogen ook in elke richting, maar zij mogen zover ze kunnen. Zie schaakbord op p. 44.

De *lopers* mogen alleen schuin naar voren of naar achteren, maar wel zover ze kunnen. Zie schaakbord op p. 69.

De *paarden* springen één recht (naar voren of naar achteren) en één schuin. (Je kunt ook zeggen dat ze twee recht en één opzij gaan) Zie schaakbord op p. 71.

De *torens* mogen alleen recht naar voren of naar achteren en

z

♔ + ♚ = K = koning

♕ + ♛ = D = dame
(koningin)

♗ + ♝ = L = loper
(raadsheer/
hofdame)

	a	b	c	d
8	a8 TOREN ALFONS	b8 PAARD KIM	c8 HOFDAME	KONIN
7	a7 SOLDAAT ARIE	b7 SOLDAAT BOLKE	c7 SOLDAAT CYNTHIA	SOLD DAV
6	a6	b6	c6	
5	a5	b5	c5	
4	a4	b4	c4	
3	a3	b3	c3	
2	a2 SOLDAAT APPIE	b2 SOLDAAT BERTJE	c2 SOLDAAT CICERO	SOLDA DIR
1	a1 TOREN ALFRED	b1 PAARD KAREL	c1 HOFDAME	KONIN

T

e8	f8	g8	h8
NING	RAADS HEER	PAARD KASPER	TOREN HARRY
e7	f7	g7	h7
LDAAT MY	SOLDAAT FRED	SOLDAAT GODFRIED	SOLDAAT HARM
e6	f6	g6	h6
e5	f5	g5	h5
e4	f4	g4	h4
e3	f3	g3	h3
e2	f2	g2	h2
LDAAT UARD	SOLDAAT FERDINAND	SOLDAAT GERRIT	SOLDAAT HENDRIK
e1	f1	g1	h1
NING	RAADS HEER	PAARD KEES	TOREN HENDRINA

e   f   g   h

 = P = paard

+ = T = toren

+ = pi = pion
(soldaat)

opzij, maar wel zover ze kunnen. Zie schaakbord op p. 72.

De *pionnen* mogen normaal gesproken alleen recht naar voren. De eerste keer twee stappen (een dubbele stap) en als ze eenmaal verplaatst zijn nog maar één stap. Ze mogen alleen schuin naar voren als ze iemand gevangen kunnen nemen. Zie schaakborden op p. 74 en 90.

176 Voor de volledigheid geef ik je nog drie regels die niet in het verhaal van de koningin besproken zijn.

Allereerst twee regels voor de pionnen.

En passant slaan.

(dat betekent letterlijk: in het voorbijgaan)

Wanneer een pion een dubbele stap naar voren doet (zijn eerste zet) en daardoor naast een pion van de tegenpartij komt te staan, dan mag deze (de pion van de tegenpartij dus) hem gevangen nemen. De pion is dan namelijk over een veld gegaan waar hij gevangen genomen had kunnen worden.

Als de pion van de tegenpartij de pion wil slaan, moet hij het wel meteen doen.

Promotie

Als een pion de overkant bereikt, dan kan hij eigenlijk geen kant meer op (hij mag immers niet achteruit), maar omdat de pionnen dat niet eerlijk vinden en beloond willen worden voor hun moed en ijver, hebben ze voor elkaar gekregen dat ze mogen veranderen. Vanaf dat moment worden ze een koningin of een loper of een paard of een toren, net wat ze zelf willen. Het kan dus voorkomen dat er ineens twee koninginnen in het spel zijn.

Rochade

Door de rochade vindt de koning dekking achter zijn toren en zijn pionnen. De toren schuift naar de koning en de koning springt eroverheen.

Dit mag alleen maar als:

1. de koning nog niet verplaatst is
2. de toren nog niet verplaatst is
3. de koning niet schaak staat en geen enkel veld dat hij passeert door de tegenpartij aangevallen wordt
4. er geen stukken tussen de toren en de koning staan.

De koning kan twee kanten op dekking zoeken. Als er twee tegels tussen hem en de toren waren, heet het korte rochade. Als er drie tegels tussen waren, heet het lange rochade.

177

WAT = WAT ALS JE HET OPSCHRIJFT?

K = koning
D = dame (koningin)
L = loper (raadsheer, hofdame)
P = paard
T = toren
pi = pion. Dit wordt alleen gebruikt bij het opschrijven van een stelling. Bij het noteren van zetten wordt het weggelaten.

-     = gaat naar
x   = 'slaat' of 'neemt gevangen'
e.p. = en passant
0-0   = korte rochade
0-0-0 = lange rochade
†   = schaak
††   = dubbelschaak
†mat = schaakmat

Je schrijft altijd eerst over welke zet het gaat, dan wat wit heeft gedaan – wit mag immers altijd beginnen – en na de komma wat zwart heeft gedaan.

Dus: 1.Pg1-f3,e7-e5. 2.Pf3xe5,f7-f6... enzovoort.

Dit betekent dan:

Bij de eerste zet zette wit zijn paard van g1 naar f3. Zwart schoof toen zijn pion van e7 naar e5.

Bij de tweede zet sloeg wit met zijn paard de zwarte pion op e5. Zwart schoof toen de pion van f7 naar f6.

Als er bijvoorbeeld staat: 10...,Ke8-d8, betekent dit dat zwart tijdens de tiende zet zijn koning van e8 naar d8 schoof.

DE PARTIJEN DIE SARA SPEELT

Meester – Sara

(ontleend aan Alb. Loon en Max Euwe,

Oom Jan leert zijn neefje schaken.)

1.e2-e4,d7-d5

2.e4xd5,Pg8-f6

3.c2-c4,c7-c6

4.Dd1-a4,Lc8-d7

5.d5xc6,Pb8xc6

6.Da4-b3,Pc6-d4

7.Db3-c3,e7-e5

8.f2-f4,Lf8-b4

9.Dc3-d3,Ld7-f5

10.Dd3-g3,Pf6-e4

11.Dg3xg7,Pd4-c2 †

12.Ke1-e2,Dd8-d3 †

13.Ke2xd3,Pe4-g3 †mat

Bob Hooke – Sara

(ontleend aan Aljechin – Euwe, Amsterdam 1936)

1.e2-e4, e7-e5

2.Pg1-f3,Pb8-c6

3.Pb1-c3,Pg8-f6

4.Lf1-b5,Lf8-b4

5. 0-0, 0-0

6.d2-d3,d7-d6

7.Pc3-e2,Pc6-e7

8.c2-c3,Lb4-a5

9.Pe2-g3,c7-c6

10.Lb5-a4,Pe7-g6

11.d3-d4,Tf8-e8

12.La4-b3,e5xd4

13.c3xd4,Lc8-e6

14.Pf3-g5,Le6xb3

15.Dd1xb3,Dd8-d7

16.f2-f3,h7-h6

17.Pg5-h3,Te8-e6

18.Ph3-f4,Pg6xf4

19.Lc1xf4,La5-b6

20.Ta1-d1,Ta8-e8

21.Kg1-h1,d6-d5

22.e4-e5,Pf6-h7

23.Pg3-f5,f7-f6

24.g2-g4,f6xe5

25.Lf4xe5,Ph7-f6

26.Db3-d3,Kg8-h8

27.Tf1-g1,Lb6-c7

28.f3-f4,Dd7-f7

29.Td1-f1,Lc7xe5

30.f4xe5,Pf6-e4

31.g4-g5,h6xg5

32.Pf5-d6,Pe4-f2 †

33.Kh1-g2,...

(hier liep Sara weg, maar in 1936 ging de partij verder:)

    ...,Pf2xd3

34.Pd6xf7†,Kh8-g8

35.Pf7xg5,Te6-g6

36.h2-h4,c6-c5

37.d4xc5,Te8xe5

38.Kg2-h3,Pd3xc5

39.Tf1-c1,Tg6-c6

40.Tg1-e1,Pc5-e4

41.Tc1xc6,b7xc6

42.Te1-c1,Pe4xg5†

43.h4xg5,Te5-e6

44.Kh3-g4,Kg8-f7

45.Tc1-c3,a7-a5

46.Kg4-f3,Kf7-g6

47.Tc3-a3,Kg6xg5

48.Ta3xa5,Kg5-f5

49.a2-a4,g7-g5

50.Ta5-a8,Te6-e4

51.Ta8-f8†,Kf5-e5

52.Tf8-e8†,Ke5-d4

53.Te8-b8,c6-c5

54.b2-b4,c5-c4

55.a4-a5,Te4-e3

56.Kf3-f2,Te3-a3

57.Tb8-g8,c4-c3

58.Tg8xg5,Ta3-a2†

59.Kf2-f3,c3-c2

60.Tg5-g1 en wit geeft tegelijkertijd op.

Het boek dat je net hebt gelezen was spannend en ook een beetje sprookjesachtig. Als je daarvan houdt, vind je vast ook de boeken van C.S. Lewis over het land Narnia mooi. Er zijn er zeven.

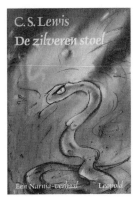

Het betoverde land achter de kleerkast

Omdat het oorlog is en de stad waarin ze wonen steeds wordt gebombardeerd, logeren vier kinderen in een groot landhuis op het platteland, bij een ongetrouwde professor. Het is een fantastisch huis om geheime plekjes in te ontdekken. Op een dag kijkt een van de kinderen in een grote, diepe kleerkast. Er hangen jassen in. Ze kruipt dieper in de kast – en dan voelt ze opeens geen bont meer, maar besneeuwde boomtakken. Ze is in het land Narnia.

Dit is het begin van veel avonturen. Ook in Narnia heerst geen vrede. Het land is in de macht van een boosaardige tovenares, en daardoor is het er altijd winter. Maar de kinderen leren ook de echte bewoners van Narnia kennen, de sprekende dieren die hun eigen koning trouw zijn gebleven. Het gerucht gaat dat de Leeuw Aslan onderweg is om de tovenares te verjagen. Oude spreuken voorspellen dat vier mensenkinderen zullen helpen het land te bevrijden...

Prins Caspian

Peter, Susan, Edmund en Lucy zitten op een bank van een dorpsstationnetje in Engeland te wachten op de trein die hen naar kostschool zal brengen.

Opeens voelen ze dat er iets – of iemand – aan hen trekt en het volgende moment zijn het bankje, het perron en het hele station verdwenen en staan ze op een plek waar bomen en struiken groeien.

'O, Peter,' zegt Lucy, 'denk je dat we weer terug zijn in Narnia?'

In dat land zijn ze al eens eerder geweest. Ze waren er toen zelfs Koningen en Koninginnen! Maar er is veel veranderd. De mensen die het land nu regeren hebben de oorspronkelijke bewoners verjaagd en Prins Caspian, die eigenlijk koning zou moeten zijn, verkeert in levensgevaar. Hij blaast op de hoorn van Koningin Susan om hulp te vragen.

Er wonen nog vele oud-Narnianen verscholen in de bossen: dwergen, faunen, reuzen en sprekende dieren. Maar het leger van de vijand lijkt te sterk en de overmacht te groot...

De Koningen van vroeger komen net op tijd. Maar pas als ook de Leeuw Aslan verschijnt, wordt de vrede in het land hersteld.

De reis van het drakeschip

Plotseling komt er vanuit het schilderij een windvlaag naar de kinderen toe waaien. En met die wind komen ook de geluiden mee – het slaan van de golven tegen de zijkanten van het schip, het klotsen van water en het onafgebroken gebulder van de wind en de zee. Een reusachtige golf zout water plenst pardoes door de lijst van het schilderij heen, zodat ze kletsnat worden en naar adem snakken. Het lijkt wel alsof ze kleiner worden – of misschien is het schilderij wel groter geworden! Een blauwe golf sleurt hen de zee in...

En dan worden ze gered door de bemanning van het drakeschip. Lucy, Edmund en hun vervelende neefje Eustaas staan te bibberen in hun natte kleren, als er een jongen naar hen toekomt die een paar jaar ouder lijkt dan zijzelf.

'Caspian!' roep Lucy.

En het is inderdaad Caspian, de jongen die zij bij hun vorige bezoek aan Narnia op de troon hebben geholpen en die nu koning is van dat land.

Hij vaart op het prachtige schip De Dageraad naar de onbekende Zeeën in het Oosten, voorbij de Verlaten Eilanden, om de vrienden van zijn vader te zoeken, zeven edelen die jaren geleden met een opdracht die kant op zijn gestuurd.

De zilveren stoel

'Ver hiervandaan, in het land Narnia, woont een oude koning die verdriet heeft omdat er in zijn familie geen enkele prins is die na hem koning kan worden. Hij heeft geen troonopvolger,

omdat zijn enige zoon vele jaren geleden van hem is wegge-
roofd. Niemand in Narnia weet waar de jongen gebleven is en
of hij nog leeft. Maar hij leeft. En jullie draag ik op naar die verdwenen prins te gaan zoeken.'

Met die woorden stuurt de Leeuw Aslan de kinderen Jill en
Eustaas – die het op hun kostschool in Engeland afschuwelijk
vinden – op reis naar wilde en eenzame streken. Eerst naar Narnia, maar dat moeten ze meteen weer verlaten om verder te
zoeken.

Het Paard en de Jongen

In de Gouden Eeuw van Narnia, toen Peter er Hoge Koning was
en zijn broer Edmund en zusjes Susan en Lucy onder hem re-
geerden als Koningen en Koninginnen, woonden diep in het
zuiden van het land Calormen een arme visser en zijn zoon.
Voor deze jongen, Shasta, verandert alles op de dag dat er een
schitterend geklede vreemdeling voor de deur van hun huisje
staat. Hij hoort dat hij een vondeling is, en zijn vader probeert
hem te verkopen. Hoeveel zou hij opbrengen? Een slechter leven dan hij nu heeft kan hij niet krijgen. Wist hij maar of zijn
nieuwe meester een aardige man is!

Hij aait het paard van de vreemdeling over zijn neus en zegt:
'Als jij toch eens kon praten, ouwe jongen.'

Het paard tilt zijn hoofd op en zegt zacht maar duidelijk:
'Dat kan ik ook.'

In het land waar hij vandaan komt kunnen alle dieren praten, vertelt het paard. Dat is het land Narnia. Het paard is ont-
voerd door de vreemdeling, en voor Shasta ziet het er niet best
uit als hij bij die man in dienst komt. Ze besluiten samen te
vluchten.

Het neefje van de tovenaar

Het is een van de koudste en regenachtigste zomers die je je
kunt voorstellen, en daarom zijn Polly en Digory gedwongen

binnenshuis ontdekkingsreizen te maken. Via een kleine deur op de rommelzolder van Polly's huis kom je in een lange donkere tunnel zonder vloer. Ze springen van balk op balk, tot ze bij een ander deurtje komen. En dan staan ze plotseling in de kamer van oom Andreas.

Die is tovenaar en bezig met een groot experiment. Als Polly een van zijn prachtige magische ringen aanraakt, is ze opeens verdwenen...

In dit boek kun je lezen hoe het land Narnia ontstaat – want dáár komen de kinderen uiteindelijk terecht. Ze wekken de boze tovenares Jadis tot leven, en dat is het begin van veel narigheid en veel spannende avonturen, waarover ook wordt verteld in de andere Narnia-verhalen.

Het laatste gevecht

De bewoners van Narnia zijn in verwarring gebracht door een bedrieger die in naam van de Leeuw Aslan de Mensen en Dieren tegen elkaar opzet. En de oude vijanden uit Calormen maken gebruik van de gelegenheid om Narnia binnen te vallen. Hoe lang kunnen de Koning en zijn handjevol getrouwen standhouden?

Het geloof in de echte Aslan wordt op de proef gesteld, totdat hijzelf verschijnt, en met hem alle Koningen en Koninginnen van vroeger. Dan valt de nacht over Narnia – maar voor de Goede Wezens is het nog maar het begin van het echte verhaal.

Het laatste gevecht is ook het laatste boek over Narnia.